PICASSO

PIERRE DAIX

PICASSO

DuMont Buchverlag Köln

Die Deutsche Bibliothek – CIP-Einheitsaufnahme

Daix, Pierre:
Picasso / Pierre Daix. [Aus dem Franz. von Stefan Barmann.
Bearb. und Dokumentation: Lorraine Lévy]. –
Köln: DuMont, 1991
    Einheitssacht.: Picasso <dt.>
    ISBN 3-7701-2683-1
NE: Picasso, Pablo [Ill.]; Lévy, Lorraine [Bearb.]

Aus dem Französischen von Stefan Barmann

Bearbeitung und Dokumentation: Lorraine Lévy

© VG Bild-Kunst, Bonn, 1991 für alle Werke Picassos
© 1990, Sté Nouvelle des Editions du Chêne
© 1991 der deutschsprachigen Ausgabe: DuMont Buchverlag Köln

Druck: Weber, Bienne

Satz der deutschsprachigen Ausgabe: Fotosatz Harten, Köln

Printed in Switzerland   ISBN 3-7701-2683-1

Picasso,
Maler des 20. Jahrhunderts

D as Werk Picassos, entstanden im langen Zeitraum von 1895 bis Ende 1972, kann für die gesamte Kunst des 20. Jahrhunderts stehen, wie wir immer besser erkennen. Als gewaltiger Formerfinder hat Picasso über Generationen hin – von den Surrealisten und den abstrakten Expressionisten bis zur Pop Art und zur Generation von 1980 – die Imagination der Maler in Bewegung gehalten. Er hat eine Vielzahl von Prototypen geschaffen, die aus seinen kubistischen Entdeckungen erwachsen sind und die Sprache aller visuellen Medien erneuert haben, von Plakat und Werbung bis hin zu den Comic Strips und der Bildtechnik des Fernsehens oder des Videos. Nicht eine Sparte des bildnerischen Ausdrucks hat er so gelassen, wie sie war. Er begann mit akademischen Meisterleistungen, um schließlich die Ausdruckskraft von Materialien und kontrastierenden Texturen weithin bekannt zu machen. Er gab dem Schock, den die Aufopferung der traditionellen Malerei auslöste, mit der Collage, der Assemblage, der Überhöhung von Industrieabfall und aleatorischen oder automatischen Verfahren neue Nahrung. Bei seinen ersten bildhauerischen Versuchen noch an Rodin sich messend, hat er mit seinen Assemblagen die Plastik revolutioniert, später dann die Keramik, in der er Gauguins Einfallsreichtum fortgeführt hat. Endlich wurden durch ihn die Techniken der Druckgraphik neu erschlossen, und er hat darin ein Werk hinterlassen, das die unvergänglichen Themen der menschlichen Komödie umfaßt und ihn Rembrandt und Goya ebenbürtig macht.

Seine abrupten Richtungswechsel, seine Innovationen waren immer darauf aus, die Macht der Kunst über die Welt zu vergrößern. Seine Meisterwerke umfassen so Verschiedenartiges wie die Intimität des Porträts, Anklagen gegen das Unrecht, einzigartige lyrische Manifestationen, Frauenbilder von unerbittlicher Grausamkeit und erotischer Obsession, aber auch von erblühender Grazie, delikateste Miniaturen, Verwandlungen gewöhnlicher Materialien und die monumentalsten Kompositionen. Picasso hat den Blick des 20. Jahrhunderts an die Kunst der Kykladen, Mykenäs und unbekannter schwarzer Künstler herangeführt, aber auch an El Greco, Poussin, Velázquez, Ingres, Delacroix oder Corot. Mit *Guernica* hat er das Historienbild wiederbelebt. Ständig als Zerstörer und Sittenverderber verschrien, hat er gezeigt, daß auch im Zeitalter, das Auschwitz erlebte, die moderne Kunst die humanistischen Aufgaben der Renaissancekunst übernehmen kann.

Picasso war ein geborener Virtuose – wenn er sagte, mit zwölf wie Raffael gemalt zu haben, so wissen wir heute, daß das stimmt –, in die Moderne hineingeboren wurde er nicht. Zu ihr stieß er mit fünfzehn in Madrid und dann vor allem in Barcelona. Das erklärt wahrscheinlich, daß er umfassender als alle Vorgänger – ausgenommen Gauguin – und alle Zeitgenossen – bis auf den zwölf Jahre jüngeren Miró – die Tradition ermaß, die aus der Renaissance als geschlossenes, vollendetes Ganzes hervorging und aus der es nicht genügte auszubrechen, sondern die man in einer globalen Modernität zerbersten lassen mußte, mit neuem Ansatz bei den Primitiven außerhalb der Grenzen abendländischer Zivilisation.

Dies war seine wichtigste intellektuelle Entdeckung zwischen 1906 und 1908. Zweifellos hat sie es ihm auch ermöglicht, mit seinem Jahrhundert bis zuletzt in Symbiose zu leben. Er konnte diese Entdeckung nur in Paris machen, wo eine durch den Bau des Eiffelturms ausgelöste Technikbegeisterung und die Faszination durch die ›Göttin‹ Elektrizität mit der kulturellen Erschließung Afrikas und Ozeaniens Hand in Hand gingen. Wo vor allem – während Italien und das Spanien nach Goya rückwärtsgewandt im 19. Jahrhundert lebten – die auf Delacroix und Manet folgende Malerei mit revolutionärem Elan voranstürmte, neue Rechte auf die Zukunft erwarb und die seit dem Quattrocento nicht mehr gekannte Fähigkeit erlangte, alle Beziehungen zur

Guernica

Les Demoiselles d'Avignon

Das Bateau-Lavoir

Welt zu verwandeln. Ende 1906 veränderten die Begegnungen mit den Steins, Matisse und Derain sowie die Retrospektiven von Manet, Gauguin und Cézanne Picassos Gesichtskreis. Eine Umwälzung fand statt, die dreißig bis fünfzig Jahre später in die offizielle Kunstgeschichte einging, als sie in den *Demoiselles d'Avignon* den entscheidenden Schritt zur modernen Malerei erkannte.

Im Jahre 1907 wußte davon niemand, nicht einmal Picasso. Nahezu sein ganzer Umkreis sah in den *Demoiselles* nichts als eine tragische Sackgasse. Es gab damals keine der theoretischen Handhaben, die uns mittlerweile vertraut geworden sind. Die Preisgabe der klassischen Perspektive schien wie Einsteins Relativitätstheorie eine Verirrung oder ein Witz. Erst 1922 erhob Lévy-Bruhl »Die geistige Welt der Primitiven« in die Sphäre des Menschlichen, und erst 1961 veröffentliche Lévi-Strauss »Das wilde Denken«. Er stellte damit der intellektuellen und praktischen ›Bastelei‹, die Picasso instinktgeleitet und mit fabelhaftem handwerklichen Können ins Werk setzte, den Adelsbrief aus und erwies zugleich ihre Tragweite hinsichtlich der menschlichen Erkenntnis- und Erfahrungsmöglichkeiten. Denn die beispiellose Mühe, die im schäbigen Atelier des Bateau-Lavoir aufgewandt wurde, galt nichts anderem als der Wiedererlangung der künstlerischen Erfindungskraft der ganzen Menschheit, in Auflehnung gegen ihre Reduzierung auf den Klassizismus der Weißen, der Abendländer. Auch gegen die viktorianischen Kerker aller Art, durch die noch vor kurzer Zeit Gauguin und Rimbaud, Vincent van Gogh oder Lautrec umgekommen waren. In Picasso haben wir es mit einem Künstler zu tun, der nie das Schicksal seiner ›verfemten‹ Vorgänger vergessen hat und der ihm entkam, indem er sich zum Autodidakten dessen zu machen wußte, was das 20. Jahrhundert noch nicht als seine kulturelle Spezifizität wahrnahm. Seine Langlebigkeit hat die außerordentliche Befähigung, scheinbare Errungenschaften, einschließlich seiner eigenen, in Frage zu stellen, nicht beeinträchtigt. Zehn, fünfzehn Jahre hat es gedauert, bis man die Ergebnisse seiner letzten, um 1970 gemalten Bilder verstanden hat.

Autodidakt dieses 20. Jahrhunderts, das sich ihm mit Erreichen des Erwachsenenalters eröffnete, hat er nie aufgehört, mit ihm in Konflikt zu treten, und

stand er auch am Ende als dessen Inkarnation da, so doch stets unter lebhaften Protesten und von Unverständnis verfolgt. Der Versuch, diese vielfältigen und leidenschaftlichen Auseinandersetzungen in ihrer zeitlichen Abfolge zu klären, beruht nicht auf Chronologiefetischismus, denn für Picasso wie für die Leitsterne seiner Generation in der Kunst, Gertrude Stein, Apollinaire oder Matisse, war das 20. Jahrhundert der Mythos von einer nie endenden Erschließung der Ressourcen des menschlichen Geistes und bedeutete eine Sukzession von Neuheiten in der Kunst, wie man sie noch nicht gekannt hatte. Sie waren die Avantgarde, auch wenn sie sich nicht so nannten, und Breton konnte sagen, »daß man Picasso eine ungeheure Verantwortung zuerkennen muß. Von einer Willensschwäche dieses Mannes hing es ab, daß die Partie, die uns in Anspruch nimmt, zumindest unentschieden ausgegangen wäre, wenn nicht mit einer Niederlage«. Am besten erschließt sich uns das Abenteuer der Kunst Picassos, wenn wir verfolgen, was im Banne jenes Gründungsmythos der Zukunft geschah.

Der Weg zur Revolution

Alles führt das Kind, das in Málaga am 25. Oktober 1881 geboren wird, zur Malerei hin. Der Vater malt und gibt Zeichenunterricht, um für seine Familie aufzukommen. An seinem erstgeborenen und einzigen Sohn zeigt sich sehr bald die Begabung des Wunderkindes. Der einzige, aber ungemein große Nachteil ist, daß Málaga vor der industriellen Revolution lebt; Paris ist weit weg. Alles läuft deshalb darauf hinaus, daß Pablo Ruiz Picasso ein frühreifer Großmeister der akademischen Kunst wird, was er mit verblüffender Bravour auf sich nimmt. Spielend besteht er die Prüfungen an den Kunstschulen von Madrid und Barcelona, beherrscht mit fünfzehn Porträt und Genrebild. Er ist achtzehn, als sein Gemälde *Die letzte Wegstrecke* Spanien bei der Zehnjahresretrospektive auf der Pariser Weltausstellung von 1900 vertritt.

Aber ein solch schnurgerades Gleis kann ihn nur in Unruhe und Aufruhr versetzen. Mittlerweile ist er in Barcelona unvermittelt dem 20. Jahrhundert begegnet, in einer von den Nachwirkungen der Weltausstellung von 1888 noch brodelnden Stadt,

Das Leben

wo der katalanische Nationalismus aufbricht, Nietzsche diskutiert, das Genie El Grecos entdeckt und der geistvolle Architekt Gaudi gefeiert wird, wo die Maler, die sich dem ›Modernismo‹ verschrieben haben, von den Pariser Neuheiten Impressionismus und Pointillismus träumen. Am meisten verblüffen bei diesem Jüngling, der bereits jetzt die Älteren in Erstaunen versetzt und den Ton unter ihnen angibt, seine breitgefächerte Neugierde, seine Aufnahmefähigkeit und die Entschlußkraft, mit der er sowohl alle familiären und gesellschaftlichen Joche abschüttelt als sich auch über Moden hinwegsetzt.

Kaum ist er im Herbst des Jahres 1900 in Paris angelangt, malt er eine nächtliche *Moulin de la Galette,* die nichts von der heiteren Auffassung Renoirs an sich hat. Vielmehr möchte man meinen, er habe van Goghs *Nachtcafé* gesehen. Minutiös verzeichnet er das Elend von Montmarte und, des Lokalkolorites wegen, eine Kirmesbude auf den Boulevards. Er kehrt nach Málaga zurück, gründet zuvor während eines Aufenthalts in Madrid eine kurzlebige Zeitschrift, stürzt sich dann in Barcelona auf die von Mañach vermittelte Gelegenheit, bei Vollard auszustellen. Er erfindet eine tupferübersäte Malerei von farbenprächtiger Üppigkeit – sechzig Gemälde entstehen in nicht einmal drei Monaten –, ein virtuoser Prä-Fauvismus des Pariser Lebens. Die Bilder sind ein Erfolg, der sich in den sechziger Jahren voll bestätigt, als die Verbreitung von Farbreproduktionen die Einzigartigkeit der Leistung erneut deutlich macht. Mit dem Sommer vollzieht Picasso eine 180-Grad-Wende zu der erbarmungslosen, kühlen Klarheit Lautrecs, der soeben gestorben ist. Im Gedächtnis an den Selbstmord seines Freundes Casagemas greift er zurück auf Zurbarán und El Greco und gelangt zur blauen Monochromie, seine Weise, vom ausweglosen Unglück der im Gefängnis von Saint-Lazare eingesperrten, geschlechtskranken Prostituierten zu sprechen: Bilder von Müttern entstehen und dann, zurück in Barcelona, *Die zwei Schwestern,* eine unendlich bittere und profane Heimsuchung Mariä.

Keiner mag von dieser Malerei und ihren Ausgestoßenen der Belle Epoque etwas wissen. Aber Picasso läßt nicht locker, malt noch elendere Elendsgestalten. Sein Aquarell *Die letzte Wegstrecke* von 1898 greift er wieder auf mit einer Befragung des Schicksals, in der die Gestalt Casagemas' wiederkehrt: *Das Leben.* Und er verkauft das Bild auf der Stelle zu einem so guten Preis, daß eine Zeitung darüber berichtet. Im Jahr 1903 entsteht eine Serie von Meisterwerken: *Der Blinde, Das Mahl des Blinden, Der alte Gitarrenspieler* und schließlich Anfang 1904 das Porträt *Celestine,* mit der die Blaue Periode zu Ende geht.

Die Gaukler

Picasso bangt um den neuen Erfolg und will ihn in Paris bestätigt sehen. Der Einzug ins Bateau-Lavoir am Montmartre bedeutet Begegnung mit neuem Elend, aber Madeleine tritt in sein Leben, und seine Malerei heitert sich auf zu einem rosa Roman aus Harlekins Feder. Zur Biennale von Venedig eingeladen, reicht er die große Gouache *Akrobat und junger Harlekin* ein, die durchfällt. (1988 wird sie in New York einen Rekordpreis erzielen.) Das hält ihn nicht davon ab, ein großes Bild in Angriff zu nehmen, *Die Gaukler.*

Einschneidender als eine Hollandreise und die Unterbringung der neuen Gefährtin Fernande in seinem Atelier und seinem Leben sind Picassos Entdeckungen im Herbstsalon von 1905, der vom Skandal um die »Cage aux Fauves« geprägt ist. Die Manet-Retrospektive veranlaßt ihn, seine *Gaukler* zu überarbeiten. Besonders erschüttert ihn das plötzliche Gewahrwerden von Ingres' *Türkischem Bad* und seiner unvermuteten Modernität. Zur selben Zeit begeistert sich ein junger Amerikaner, Leo Stein, für eine seiner einfühlsamen Gouachen und stellt ihm seine Schwester Gertrude vor.

Das Mahl des Blinden

Die Ankäufe der beiden (einschließlich einiger blauer Bilder) verwandeln Picassos Dasein. Apollinaire, dem er ein Jahr vorher begegnet war, hatte damit begonnen, ihn aus der spanischen Künstlerkolonie von Montmartre herauszuholen. Die Steins machen ihn mit Matisse bekannt. Mit einem Mal befindet er sich in dem Avantgarde-Milieu, wo der ihm wenig bekannte Cézanne weit oben rangiert. Picasso beginnt ein Porträt Gertrude Steins in der Auffassung Ingres', den er zu übertreffen sucht. Es wird ihn bis zum Salon des Indépendants von 1906 beschäftigen, auf dem Matisse mit seiner Pastorale *Bonheur de vivre* triumphiert. Zum ersten Mal stößt Picasso auf einen Rivalen, und was für einen!

Angesichts seiner ans Wunderbare grenzenden Leichtigkeit wird Picasso von Unruhe ergriffen. Bleibt er nicht an der Oberfläche der Malerei, wenn er eine schon zu lange während Tradition allzu anstrengungslos meistert? Die an Matisse beobachteten Kühnheiten drängen ihn, sich selbst in Frage zu

Célestine

Porträt Gertrude Stein

*Brot und Obstschale
auf einem Tisch*

stellen. Man muß noch einmal bei den eigentlichen Fundamenten der Kunst ansetzten, die Kraft wiederfinden, die bei ihrer Geburt wirksam war. Nun werden eben zu dieser Zeit im Louvre die frisch ausgegrabenen Skulpturen der iberischen Primitiven – seiner Vorfahren – ausgestellt. Ihren Anblick saugt er auf, läßt das Porträt von Gertrude stehen und reist mit Fernande nach Gósol im katalanischen Hochland, um neue Kräfte zu sammeln. Er malt dort zunächst klassische, Ingres übertreffende Akte von seiner Gefährtin und bricht dann diese Harmonie, indem er das Gesicht eines alten Bauern zu einer Maske erstarren läßt. Da während dieser Periode der Wende die Ockertöne der Lehmböden von Gósol benutzt worden sind, ist sie fast sechzig Jahre lang mit der gefühlsbeladenen Rosa Periode von 1905 verwechselt worden, was das Verständnis für den Übergang zum Primitivismus verhindert hat.

Zurück in Paris, erprobt Picasso diesen Primitivismus, indem er das *Porträt Gertrude Stein* fertigstellt, und realisiert eine Vielzahl aufs äußerste vereinfachter Akte. Er trifft Matisse wieder, der mit ähnlichen Problemen aus dem Süden zurückgekommen ist, und Derain, der sich auf den ersten Blick in eine seiner Freundinnen verliebt hat. Beide sind gebannt von den Negermasken. Im Herbstsalon von 1906 verstärkt die erste, sehr komplette Gauguin-Retrospektive die Tendenz des Primitivismus. Picasso sieht sich an die Spitze der Avantgarde vorrücken.

Was für einen Weg hat er seit den *Gauklern* zurückgelegt! Und er beschließt eine neue, kraftvolle Tat. Ein Bild der Gegenwart, ohne Flucht in die Pastorale, die seine Freunde so lieben. Nackte Frauen, da wo es sie gibt: bei ihrer Zurschaustellung im Bordell. Er beginnt ein ›Manifest‹ zu malen, in dem er die primitivistischen Vereinfachungen mit der plastischen Solidität von Gauguins Tahitianerinnen und den kontrastiven Rhythmen von Cézannes Badenden verbindet, alle Erneuerungen der Avantgarde miteinander verschmelzend.

Noch während der Arbeit an seinem Projekt entdeckt er dank eines zweifachen ›Skandals‹ im Salon des Indépendants von 1907, daß Matise mit einem *Blauen Akt* und Derain mit *Badenden* in der primitivistischen Provokation weiter gegangen sind als er. Er modifiziert sein ursprüngliches Projekt, um zu den heute bekannten *Demoiselles d'Avignon* mit

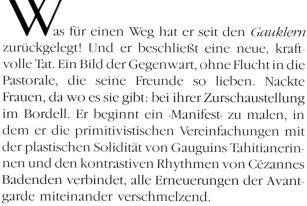

ihrer demonstrativen Barbarei überzugehen, eine gewaltsame Zerstörung der Anliegen traditioneller Malerei und vor allem Neubeginn, Begründung eines neuen malerischen Metiers.

Man hat bis in allerjüngste Zeit warten müssen, um zu rekonstruieren, was anschließend geschah. Während des Sommers 1907, auch Sommer einer privaten Krise, die zur Trennung von Fernande bis zum Herbst des Jahres führt, setzt Picasso seinen Primitivismus-Feldzug mit Lust und brutaler Wildheit fort und stellt neue Überlegungen zu den Negermasken und zu Cézanne an, die ihn zu dem großen Gemälde *Drei nackte Frauen* führen. Zu diesem Zeitpunkt kehren seine Freunde nach Paris zurück. Nur Gertrude tritt für ihn ein. Apollinaire, Matisse, Derain verstehen nicht, was er tut. Ein Neuankömmling, Braque, ist frappiert, protestiert jedoch, wie wir von der mittlerweile ins Atelier zurückgekehrten Fernande wissen: dies sei die Malerei eines Feuerspuckers. Picasso greift das Thema der *Drei Frauen* noch einmal in seiner Cézanneschen Manier auf, ohne Primitivismus, und es entsteht ein heute verschollenes Bild, das er im Salon des Indépendants von 1908 ausstellt. Auf dieselbe Weise verfährt Derain mit dem großen Gemälde *La Toilette,* das gleichfalls verschollen ist. Gertrude Stein stellt fest, daß man sich indessen auf Picassos Seite geschlagen hat und daß es jetzt Matisse ist, der isoliert dasteht, er, der sich hinfort vom Primitivismus abwendet und zu seinen Farbströmen zurückkehrt.

Picasso sondiert nun systematisch Cézanne (den zu studieren ihm die Retrospektiven nach seinem Tod ermöglicht haben) und die Kunst Afrikas und Ozeaniens. Er beschließt, die barbarische Deformierung aufzugeben zugunsten rhythmisch gegliederter, durchkomponierter Konstruktionen. Als Braque im September 1908 aus L'Estaque zurückkehrt, bringt er Bilder mit, die dem gleichen geometrischen Konstruktivismus entspringen (bald wird man von »kleinen Kuben« sprechen), aber ganz unter dem Eindruck der Vibrationen, der Übergänge Cézannes stehen. Angesichts dieser Ergebnisse greift Picasso erneut die *Drei Frauen* auf, die er bereits von aller Wildheit gereinigt hat, und verleiht ihnen Atmosphäre. Braque und er werden realisieren, was der Tod nach ihrer Überzeugung Cézanne verwehrt hat: eine Malerei, die die Formen abstrahiert und die sinnlich wahrnehmbare Welt in ihrer ganzen Fülle neu erfindet, ohne Preisgabe des Objekts. Perspektivische Umkehrungen drängen die Volumen dem Betrachter entgegen. Picasso zerlegt sie, um ihre Rhythmen zu akzentuieren, namentlich in den monumentalen Aktbildern und in einer *Badenden,* die mit Matisses *Blauem Akt* wetteifert. Er transformiert eine Figurengruppe zum größten Stillleben des Baseler Museums, *Brot und Obstschale auf einem Tisch,* und mißt sich in seinem Porträt des Kunsthändlers Clovis Sagot mit Cézanne. Braque, der ihn von nun an alle Tage sieht, hat von einer »Seilschaft am Berg« bei der Erstürmung des Gipfels gesprochen.

Im Sommer trennen sich die Wege. In Horta del Ebro an der aragonesischen Grenze malt Picasso Landschaften von kristallinischer Geometrie. Fernandes Gesicht und Büste zerlegt er in immer kleinteiligere Facetten. Als Gertrude Stein bei der Rückkehr Picassos dessen Bilder mit den Fotografien seiner Motive vergleicht, spricht sie von der Geburt des Kubismus. Dieses Wort hatte Charles Morice gerade bezüglich der neuen Werke Braques gebraucht, die im Salon des Indépendants von 1909 gezeigt wurden.

Die Revolution ist ins Rollen gebracht. Picasso lebt bequemer, was er den Steins, dem Auftreten des jungen deutschen Kunsthändlers Kahnweiler und den Ankäufen des von Matisse eingeführten russischen Sammlers Schtschukin verdankt. Er verläßt das Bateau-Lavoir und bezieht ein Atelier in Pigalle-Nähe. Indes Braque seinen Bildraum mit Objekten großer Stilleben aufbaut, nimmt Picasso alle erdenklichen Zerlegungen vor und schafft Frauengestalten, die unserem Blick erst in den Variationen und Modulationen des geometrisierten Raums faßbar werden. Mit einem Mal löst sich ein *Mädchen mit Mandoline* heraus, betörend in seiner Grazie gleich einem Bild von Corot, trotz Diskontinuitäten, die der Blick nicht aufheben kann. Den Wert seiner jüngsten Experimente beweist Picasso mit zwei Kraftakten, dem *Porträt Uhde* und dem *Porträt Vollard,* das er erst im Herbst 1910 vollendet.

Während des Sommers 1910, den er mit Fernande, Derain und Alice in Cadaqués verbringt, treibt Picasso die Diskontinuität voran, bis er »die homogene Form zum Bersten« gebracht hat, wie

Kahnweiler es ausdrückte. Das heißt, er fügt die diskontinuierlichen Objekt- und Figurenelemente außerhalb ihrer Strukturen zu einer neuen Komposition zusammen, um reine abstrakte Rhythmen zu erzeugen, deren Identifizierung ein Titel oder ein beharrendes Detail ermöglicht. Die Bezugnahme auf das Modell wird er aber nie aufgeben, weil die Formen seiner Malerei das Schema, die Transformation einer äußeren Realität bleiben sollen. Er realisiert Werke von so ungewöhnlicher Kraft wie den *Ruderer,* den *Gitarrenspieler* oder das große Stilleben *Glas und Zitrone.* Allerdings bringt er, unruhig angesichts derart weitreichender Abstraktion, zahlreiche unvollendete Werke mit zurück. Er beendet in Paris das *Porträt Vollard,* das Meisterwerk seiner kleinteiligen Zerlegungen, um dann, aus den Abstraktionen und Diskontinuitäten seines Cadaqués-Aufenthalts heraus, das *Porträt Kahnweiler* in Angriff zu nehmen.

Porträt Kahnweiler

Nun bricht eine Periode der Ungewißheit an, in der er alleine dasteht, denn Braque folgt seinen abstrakten Umsetzungen nur von ferne. Im Frühsommer 1911 gelangt er mit *La Pointe de la Cité,* einem regelrechten abstrakten Gegenbild, zu einem Gleichgewicht. Er fährt allein nach Céret, wo sich sein Freund, der Bildhauer Manolo, niedergelassen hat. Unter der mediterranen Sonne wird seine Palette gelbtöniger. Dort erfindet er nun pyramidenförmige Bildarchitekturen, zu denen auf einem Tischchen vorgestellte Objekte ihre Strukturen beitragen: die Vertikale der Flasche, die Schräge der Klarinette, die Öffnung des Fächers. Er entdeckt, daß er einen autonomen Raum und sprachliche Allusion erzielen kann, wenn er Fragmente eines gemalten Zeitungstitels isoliert. Als Mitte August Braque mit Fernande eintrifft, ist er dabei, derart angelegte, nun wieder sehr lesbare Gestalten zu realisieren: *Der Dichter, Mann mit Pfeife, Die Akkordeonspielerin.*

Eine Periode enthusiastischer Wiederbegegnung mit Braque setzt ein. Leider ist sie von sehr kurzer Dauer, denn Picasso muß in Panik nach Paris zurück, da er befürchtet, er könne in den Diebstahl der Mona Lisa durch einen belgischen Abenteurer aus dem Umkreis Apollinaires verwickelt werden, von dem er 1907 zwei ebenfalls gestohlene iberische Statuetten gekauft hatte. Er kommt ungeschoren davon, aber Apollinaire verbringt drei Tage im

Ma Jolie

Gefängnis. Der Schreck wirft ihn nicht aus der Bahn: Im Schwung seines Céret-Aufenthalts realisiert er herrliche Werke, einen *Mann mit Mandoline,* einen *Mann mit Klarinette.* Sie bringen die Diskontinuitäten der malerischen Textur, mit denen Manet begonnen hatte, auf nie gekanntes Niveau und bilden das visuelle Gegenstück zu den synkopierten Rhythmen des Jazz gegenüber der klassischen Musik. Picasso ist meilenweit entfernt von den beflissenen Geometrisierungen der ›Kubisten‹, die im Salon des Indépendants von 1911 für Aufruhr sorgten und sich erneut im Herbstsalon präsentieren. Die amerikanischen und europäischen Journalisten, die im Gegensatz zu den Franzosen Picassos Werke aus Ausstellungen kennen, schreiben indessen ihm die Urheberschaft für diese neue Malerei zu.

Der Eintritt ins 20. Jahrhundert

Stilleben mit Rohrstuhl

Die Statuettenaffäre hat die sich anbahnende Krise mit Fernande beschleunigt. Picasso feiert im Herbst in seinem Atelier, das er erneut ins Bateau-Lavoir verlegt hat, die Vollendung von *Ma Jolie.* Der Titel stammt von einem Gassenhauer und meint Eva Gouel, die seine Geliebte wird. Braque ist in Céret geblieben und kehrt im Januar 1912 mit dem *Portugiesen* zurück, einem Meisterwerk, das Picassos Figuren aus Céret sehr nahe kommt. Es enthält jedoch eine wichtige Neuerung: mit der Schablone gemalte Buchstaben. Der Beweis, daß die neue Malerei Formen aufnimmt, die in nichts der Hand des Malers verpflichtet sind und fremde, objektive Zeichen einführen. Picasso, der die von den Objekten abgeleiteten Formen immer mehr präzisiert, bemächtigt sich sofort dieser Neuheit, behandelt sie ungeschminkt als Zeichen und gedenkt von ihr zu profitieren, um als weiteres Fremdelement die reintonige Farbe einzuführen, die bislang das Gleichgewicht der Kompositionen zerstörte. Um dem Einbruch des Fremden in die vorhandene Malerei durchschlagendere Wirkung zu geben, hat er den Einfall, den Industrielack Ripolin in unvermischter Form einzusetzen. Das Gemälde wird zu einem regelrechten visuellen Experimentierfeld.

L'Aficionado

Er kombiniert darin nun mit erstaunlicher Virtuosität die verschiedensten Elemente, wertet eine Reise mit Braque für zwei große ovale Stilleben zum Thema der *Erinnerung an Le Havre* aus, malt die Eintrittskarte zur Arena im *Spanischen Stilleben* in Ripolin. Da verfällt er auf die Idee, ein Stück Wachstuch, dessen Muster Stuhlgeflecht imitiert, in das *Stilleben mit Rohrstuhl* einzukleben. Die erste Collage ist entstanden, ein Bruch vollzogen mit den ›edlen‹ Kunstmitteln. Die Collage ist das Manifest des neuen malerischen Metiers, bei dem die optischen Wirkungen der Malerei von den verschiedensten Material- oder Texturkontrasten gespeist werden.

Jäh bricht die Krise mit Fernande aus, und Picasso ist gezwungen, Paris eilends zu verlassen, um sich mit Eva in Céret zu verstecken. Doch abermals muß er Unannehmlichkeiten aus dem Weg gehen und läßt sich schließlich in Sorgues, einem Vorort von Avignon, nieder, wobei Braque und Kahnweiler seinen Umzug besorgen. Am beachtlichsten daran ist, daß diese Widrigkeiten in keiner Weise den blendenden Entdeckungskurs der neuen Malerei unterbrechen. Picasso beweist eine beispiellose Freiheit, die in seinen Stilleben aufleuchtet. Eine *Landschaft mit Plakaten* läßt die von der Reklame angepriesenen Gegenstände in Ripolin erstrahlen. Braque, der ihn in Sorgues aufgesucht hat, steht ihm an Einfallsreichtum nicht nach. Er stellt Skulpturen aus Papier her, erzielt Differenzierungen in seinen Gemälden, indem er seinen Tinkturen Sand beimischt und erfindet dann das erste Papier collé; hier verwandeln Papierstreifen mit Holzimitat die Zeichnung in eine Assemblage, wobei der Kontrast der Texturen ungekannte konzeptuelle und optische Wirkungen erzeugt. Zum selben Zeitpunkt vollendet Picasso in der Malerei eine glanzvoll wiedererschaffene Gestalt, *L'Aficionado.*

Als er dann nach Paris zurückkehrt – wegen Fernande zieht er vom Montmarte nach Montparnasse, was für damalige Verhältnisse einer Ausbürgerung gleicht –, steigert er noch einmal seine Erfindungskraft. Es entsteht eine Gitarrenassemblage aus Karton, eine offene Skulptur, die mit dem Prinzip des Blocks bricht und aus neuem Nachdenken über die plastische Kraft der Negermasken resultiert. Die so erzeugte Wirkung überträgt er auf seine Gemälde, danach auf Collagen-Assemblagen, und macht sich jetzt seinerseits ans Papier collé, wobei er jedoch statt Braques Streifen Zeitungsausschnitte verwendet. Sofort spielt er mit dem Wortsinn der Titel, um die semantische Dimension auszuweiten. Darauf imitiert er die Wirkungen und Texturkontraste des Papier collé im gemalten Trompe-l'oeil, schlägt jedoch gleichzeitig einen rein konzeptuellen Weg ein, als wolle er den aus der Collage erwachsenen konkreten materiellen Realitäten abstrakte Zeichen entgegensetzen. Dies führt zur Assemblage eines gezeichneten, rein konzeptuellen Gitarrenspielers im Atelier, der mit Hilfe von Armen aus Zeitungspapier eine echte Gitarre hält; Beweis dafür, daß seine Abstraktheit im Raum des täglichen Lebens funktioniert.

Man kann sagen, daß hier Picassos Kubismus gegenüber dem, was seine Seilschaft mit Braque erbracht hat, autonom geworden ist, und daß der Maler in diesem Augenblick wirklich ins 20. Jahrhundert eintritt. Die erste Collage, die Papiers collés, die erste Gitarrenassemblage haben nicht nur die Grenze zwischen Kunst und Industrie aufgehoben, die für einen Baudelaire unüberwindbar war, sie haben gewöhnliche Serienprodukte, Plakatwerbung, Schlagzeilen der Sensationspresse im Kunstwerk überhöht. Der Adel der Kunst hängt nicht nur nicht von ihren Sujets ab, wie es das 19. Jahrhundert seit Courbet erwiesen hat, sondern auch nicht von ihren Mitteln; er liegt im Künstler, in seiner schöpferischen Idee, seiner Fähigkeit zum Transformieren, zum Erzeugen von Kunst aus Nichtkunst. Eine so erschöpfende Demonstration dieses Sachverhalts hat es zuvor nie gegeben.

Von den Freunden abgesehen, sollte sie jedoch, ganz wie der Bruch, den die *Demoiselles d'Avignon* bedeuteten, unbekannt bleiben. Nur Braque und Apollinaire nehmen sie wahr, ehe sie zwischen 1920 und 1930 von Aragon, Tzara und den Surrealisten wiederentdeckt wird. In ihrer wahren Bedeutung wird sie jedoch erst Ende der fünfziger Jahre erkannt werden, wenn die Kunst des 20. Jahrhunderts sich bis zu diesem entscheidenden Durchbruch ein zweites Mal vorgearbeitet hat, und es bleibt das Jahr 1989 und die Ausstellung *Braque and Picasso pioneering Cubism* abzuwarten, bis der Anteil Picassos und der Braques wirklich geklärt sind.

Im März 1913 bricht Picasso erneut mit Eva nach Céret auf. Erst im Mai kommt es zu einer Verlangsamung seines Schaffens: Sein Vater ist gestorben, und

Ende Juni zwingt ihn eine Typhuserkrankung, nach Paris zurückzukehren. Im neuen Atelier in der Rue Schoelcher entstehen im Herbst Assemblagen aus Holzabfällen, die Tatlin begeistern werden. Picasso stürzt sich dann in eine völlig neue Malerei und nutzt die gewonnene Freiheit, um mit *Sitzende Frau im Sessel* eine Figur zu ersinnen, in der die Surrealisten zehn Jahre später eine Ankündigung der von ihnen angestrebten Überraschungseffekte und Regelbrüche sehen werden.

Braque kehrt im Spätherbst mit großen Papiers collés von bewundernswerter musikalischer Komponiertheit aus Sorgues zurück. Die beiden Künstler haben sich seit März nicht gesehen, und ihre Arbeiten entfernen sich voneinander. Dennoch fordern Braques Resultate Picasso dazu heraus, neue Papiers collés zu schaffen, aber in der Weise, daß er die Vielfalt des Collagierten als ›Sehmaschine‹ einsetzt, um so die Möglichkeiten des neuen Bildraums gewahr werden zu lassen. Mit diesem Laboratorium beginnt Picasso die Experimente zur Prüfung einer ihn stark beschäftigenden Frage: Kann die zeichnerische und malerische Freiheit, die er sich erobert hat, vor der klassischen Malerei bestehen? Behält der Raum der malerischen Assemblage, der auf die vielfältigen Brechungen der Collagewirkung und auf optische Kontraste gegründet ist, das heißt der am weitesten entwickelte Raum des Kubismus, seine Geltung gegenüber dem perspektivischen Illusionismus? Läßt er sich mit diesem vereinigen? Vermag er ihn zu übertreffen?

Vierzig Papiers collés mit Sand- und Sägemehleffekten, Stilleben-Hommagen an *Ma Jolie* und die durchbrochene Plastik *Das Absinthglas*, deren sechs Bronzeabgüsse er unterschiedlich bemalt, lassen Picasso den Sommer über in Avignon zum vollen Glück des Malers gelangen, zur Freiheit der Farbe und zur Vollendung eines präsurrealistischen Barock. Insgeheim setzt er seine Konfrontationen mit dem perspektivischen Illusionismus fort, nachdem er Kahnweiler im Frühjahr seine ersten Versuche zur Wiederaufnahme des Porträts gezeigt hat. Diese Versuche faßt er in einem Gemälde zum Thema *Maler und Modell* zusammen, einem Frauenakt, der zweifellos das einzige Porträt Evas darstellt und erst nach Picassos Tod zum Vorschein gekommen ist.

Er fürchtet ganz offensichtlich, man werde derlei Experimente – allen, selbst Braque, unverständlich – als einen Rückzug aus seiner revolutionären Malerei auffassen, wo es doch um das Gegenteil geht.

*Frauenakt
(Ich liebe Eva)*

Picasso will beweisen, daß seine kubistische Freiheit in gewisser Weise die Vollendungen der klassischen Malerei enthält, indem er ihr etwas Zusätzliches verleiht, etwas, das »besser als vorher« ist, um seine Worte an Kahnweiler aufzugreifen. Was aber alles zum Stillstand bringt und die Stoßrichtung des Unterfangens endgültig verunklärt, ist der unvorhergesehene Donnerschlag des ersten Weltkriegs. Braque und Derain werden eingezogen und verlassen Avignon. Picasso ist als Spanier neutral. Er begleitet sie zum Bahnhof. Später wird er betrübt feststellen, »daß sie nie zurückgekehrt sind«. Die von ihnen vertretene Avantgarde hat sich von dieser Unterbrechung nicht erholt. Picasso ist fortan allein. Der Tod seiner Gefährtin Eva und Apollinaires und die Trennung von Kahnweiler haben ihm alle Zeugen genommen. Auch hier wird die Kunstgeschichte mehr als ein halbes Jahrhundert brauchen, um das ihr Entgangene aufzuholen.

Der Ernst der Situation ist auch heute noch schwer zu ermessen. Da Kahnweiler in Italien festsitzt, stehen nicht nur von heute auf morgen seine Maler ohne Einkünfte da, auch Hunderte ihrer Werke sind, sogar für die Künstler selbst, unzugänglich geworden, denn als Feindesgut stehen sie bis 1921–1922 unter Beschlagnahme und kommen erst in Massenauktionen wieder zum Vorschein. Wenn man dazunimmt, daß diese Masse von Werken praktisch nie in Paris ausgestellt, nirgends reproduziert worden ist, dann wird einem klar, daß die Geburt der Malerei des 20. Jahrhunderts durch die Torheit des französischen Staates regelrecht erstickt und vertuscht worden ist. Anstatt in eine Tradition einzumünden und durch sie im Bewußtsein zu bleiben, mußten die revolutionären Anfänge der modernen Malerei seit den dreißiger Jahren mühevoll rekonstruiert werden, sei es zunächst in Frankreich von Außenseitern wie Zervos, sei es im New Yorker Museum of Modern Art. Das erklärt, warum die Beziehung zwischen Picasso und dem 20. Jahrhundert ein noch immer neues Thema ist.

Harlekin

Antizipation des Surrealismus und des Zweiten Weltkriegs

Ende 1915 war Eva von der Tuberkulose dahingerafft worden. Seit 1918 ist Picasso mit Olga, einer Tänzerin der ›Ballets russes‹ verheiratet. Im Jahr davor verursachte seine Bühnenausstattung für das Ballett *Parade* einen Skandal.

Obgleich er mit Matisse Werke seines Kubismus ausgestellt hat und man von ihm einen bewundernswerten, fast abstrakten *Harlekin* von 1915 kennt, trotz des Erscheinens der *Demoiselles d'Avignon,* 1916, im Salon d'Antin (was allerdings nahezu unbemerkt blieb), hält man sich nur an das Ergebnis der Überlegungen Picassos von 1914. Dies erweckt den Eindruck einer ›Rückkehr‹ zum Porträt, zu anscheinend der Tradition verhafteten Bildern wie *Tischchen vor dem Fenster,* das er 1919 bei seinem neuen Händler Rosenberg ausstellt. In den Augen der Kubisten ist das eine Kehrtwendung, so als teile Picasso das Bedürfnis nach gesellschaftlicher Konsolidierung im Gefolge des großen Massakers, nach einer ›Rückkehr zur Ordnung‹, wie Cocteau später gesagt hat.

Von daher kommt das Mißverständnis, das Picasso befürchtet hat. Es herrscht noch immer, obwohl er, wie sich im folgenden erweist, weiterhin seinen Kubismus und die Revision des Illusionismus gleichermaßen vorantreibt. Er hatte bereits vor der Kriegskatastrophe erfaßt, daß es nicht Sache des modernen Geistes ist, die Brücken zur alten Kunst abzubrechen, sondern Sinn und Bedingungen ihrer Überwindung zu verstehen.

Das bedingt intellektuellen Mut und Einsamkeit. Picasso trotzt dem Unverständnis, wie er es seit seiner Blauen Periode ständig getan hat. Er malt mit stärkster Anlehnung an Ingres das Porträt Olgas, aber er fotografiert sie dabei, um ihre Verwandlung abschätzen zu können. Für sich selbst malt er ein Bild mit Manifestcharakter, seine *Etudes,* von dem er sich niemals trennen wird und in dem er die kubistischen Abstraktionen der jüngsten Zeit mit seinen klassizistischen Revisionen verschränkt. Im Sommer 1921 malt er gleichzeitig die kubistische Doppelversion von *Drei Musikanten* und die klassizistische Doppelversion von *Drei Frauen am Brunnen,* aber 1923, nach der *Flöte des Pan,* dem Meisterwerk dieser rückwärtsgewandten Phase, geht er zu Stilleben über, wo aleatorische Effekte und Sandpartien in eine ›fließende‹ Abstraktion münden: automatische Kompositionen, die einen Surrealismus avant la lettre darstellen.

Bringt auch die kubistische Entdeckung noch Hauptwerke hervor *(Stilleben mit Gipskopf,* 1925), so gewinnt doch die neue ungebundene Malerei die Oberhand und wendet sich einer Erforschung der Grausamkeit zu, die ohne Vorbild ist. Es gibt wie im

Jahre 1907 eine unterschwellige private Krise, diesmal in seiner Ehe mit Olga, jedoch hat inzwischen der Surrealismus seinen Aufschwung genommen. Picasso findet sich wieder in der Revolte dieser jungen Leute gegen eine Zivilisation, die den schlimmsten aller Kriege hevorgebracht hat, und die Aufmerksamkeit, die sie den Manifestationen des Unbewußten schenken, bestärkt ihn in seinen eigenbrötlerischen Recherchen. Der *Tanz* und der *Kuß* sind 1925 zwei Manifeste neuerlicher Entfesselung der malerischen Gewalt, nunmehr unmittelbar begleitet von derjenigen sexueller Aggression. Davon bleibt die ganze Periode bis 1931 beherrscht, obwohl die junge Marie-Thérèse in Picassos Leben erscheint. Die mit abstrakten Durchbrüchen einhergehenden primitivistischen Neuauflagen (*Das Atelier*, 1927–1928, *Maler und Modell*, 1928), die aggressiven Gitarrenassemblagen (darunter eine mit Scheuerlappen und vorstehenden Nagelspitzen, 1926), die ›Metamorphosen‹ voller sexueller Konnotationen, die durchbrochenen Plastiken und ersten Assemblagen aus Blech unter Mitarbeit von Gonzáles nach 1928, die *Kreuzigung* und die *Sitzende Badende* sowie die *Gottesanbeterin* von 1930, all das sind heftige Äußerungen seiner persönlichen Krise innerhalb der geistigen und kulturellen Krise der Nachkriegszeit. Nicht nur nimmt Picasso darin die eigentliche Krise von 1929 vorweg, sondern er versieht sich auch mit plastischen und pikturalen Sprachformen der Gewalt, die ihn darauf vorbereiten, der mit dem Machtantritt Hitlers eröffneten Periode die Stirn zu bieten. Picasso hatte nie an der Politik teilgenommen, auch wenn er in jungen Jahren Sympathie für die spanischen Anarchisten zeigte und die pazifistischen Kundgebungen der französischen Sozialisten in den Jahren 1912–1913 guthieß. Die Radikalisierung des Protests, der die Surrealisten 1927 zu Anhängern des Kommunismus werden läßt, erzeugt bei Picasso die Vorstellung einer naturgemäßen Äquivalenz zwischen der Revolution in der Malerei, die er zu verkörpern glaubt, und der Revolution schlechthin. Der Spanische Bürgerkrieg wird ihn in dieser Überzeugung bestärken.

Unterdessen spornt ihn seine heimliche Liebe zu Marie-Thérèse zu bewundernswerten Radierungsserien an, vor allem aber zur Entfaltung einer Malerei der sinnlichen Rhythmen und der Farbe, deren moderner Lyrismus zu den Höhepunkten seines Werkes gehört (*Mädchen vor dem Spiegel*, *Der Traum*, 1932). Er zeigt sie bei seiner ersten Retrospektive in Paris, darauf 1932 in Zürich. Die Zerrissenheit seiner Vierzigerjahre ist vergessen. Picasso besingt Marie-Thérèse auch in Skulpturen, in denen sich die surrealistische Gestaltung in bewundernswerter Weise läutert, und schöpft daraus die Radierungsserie *Bildhauer und Modell,* aus der die *Suite Vollard* hervorgehen wird, ein phantastischer Roman in hundert Nummern, der alles zur Sprache bringt, was damals Picassos Kunst und Leben umtreibt. Es ist die Zeit, wo er sich öffentlich zum Surrealismus bekennt.

Der Traum

Der Bruch mit Olga bei der Geburt Mayas, der Tochter von Marie-Thérèse, beendet 1935 diesen Elan; aber nun lebt die Malerei wieder auf, um Mutter und Kind sowie das Erscheinen von Dora Maar, die Picassos Gefährtin der Kriegsjahre sein wird, zu besingen. Die neue Periode der Porträts und des Lyrismus endet erst unter dem Eindruck der Gefahren des sich ausweitenden Bürgerkriegs in Spanien. Picasso nimmt den Auftrag der republikanischen Regierung an, den spanischen Pavillon der Pariser Weltausstellung von 1937 zu gestalten. *Guernica* entsteht; Picasso setzt die Erfahrung von zehn Jahren Malerei ein, um sie der Prüfung durch Terror und Mord zu unterziehen, die sein Land heimsuchen.

Entsprang die in Picassos Gemälden und Assemblagen anbrandende Gewalt bislang seiner privaten Revolte, so wird sie von jetzt an von der Tragödie diktiert, die sich in Europa ausbreitet und einen entsetzlichen Krieg ankündigt. Die Kunst muß, so denkt Picasso, »dem Meer von Schmerz und Tod« die Stirn bieten. Dies um so mehr, als Hitler alles, was zur modernen Kunst gehört, als ›entartete Kunst‹ eingestuft hat. Picasso nimmt die Stelle eines symbolischen Direktors des Prado an. Seine Malerei vergißt die Nächsten nicht, aber im Laufe der Jahre werden diese Menschen zu Spiegeln seiner Ängste und des grenzenlosen Unheils, das er kommen sieht. Als er am Vorabend des Krieges das große Gemälde *Nächtlicher Fischfang in Antibes* malt, ist es von der Blutgier der Harpune erfüllt.

Während der französischen Niederlage im Frühjahr 1940, im Juni werden die Deutschen Paris

Porträt Dora Maar

besetzen, ist Picasso dabei, ein Monstrum zu malen, die sich frisierende *Nackte Frau,* die den Freunden später zur ›drôle de guerre‹ wird. Zu Matisse wird er Ende Mai in Paris sagen, die flüchtigen Generäle seien die »Ecole des Beaux-Arts«, und im September schreibt der in Paris gebliebene Mitstreiter an seinen Sohn Pierre nach New York: »Hätte jeder seinen Beruf so betrieben wie Picasso und ich den unsrigen, dann wäre es nicht so weit gekommen.« In der Tat scheint beiden in diesem Augenblick des Zusammenbruchs, daß die Lügen der offiziellen Kunst, die sie seit ihrer Begegnung von 1906 unablässig bekämpften, den Lügen und Illusionen der gesellschaftlichen Ordnung entsprechen, die soeben zusammengebrochen war. Und daß folglich ihre scheinbar abwegigsten, verrücktesten formalen Experimente sehr wohl tiefe Wahrheiten der Gesellschaft und der Epoche berührten. Beide haben es damals abgelehnt, Frankreich zu verlassen.

Trotz Ausstellungsverbot der Nazis im besetzten Paris hat Picasso nie aufgehört zu malen. Als 1942 sein alter Freund González starb, gelangte er inmitten des in der besetzten Zone um sich greifenden Terrors zu Höhepunkten des Tragischen *(Stilleben mit Stierschädel, Das Ständchen, Porträt Dora Maar).* Damals widmete er sich erneut der Fortentwicklung seiner Skulptur *(Stierkopf* aus Fahrradlenkstange und -sattel, *Totenkopf, Mann mit Schaf),* all dies Behauptungen der Kontinuität seiner Kunst und seiner Widerstandskraft gegenüber den Zerstörungen, von denen die Zivilisation heimgesucht wurde. Der Krieg war kein Bildgegenstand geworden. Die Fragen, die er sich stellte, waren seit seiner Kehrtwende von 1906 eigentlich dieselben geblieben: Welche Mittel ermöglichen der Malerei, das 20. Jahrhundert auszusagen? Es stellte sich heraus, daß das 20. Jahrhundert weniger denn je als ein Jahrhundert nur der Verheißungen von Wissenschaft und Weisheit erschien, vielmehr auch als ein solches entsetzlich roher Massaker und erbarmungsloser Verbrechen. Dieses 20. Jahrhundert hatte er schon 1907 kennengelernt, als durch die repressive Politik Clemenceaus Streikende getötet wurden, oder 1909, als man in Barcelona Ferrer füsilierte. Das hat bei seiner Entscheidung für den Kommunismus eine Rolle gespielt.

Das Beinhaus

Friedenstaube

Von 1943 an hellt sich seine Malerei, in der die Kriegsverhältnisse auch unabsichtlich ihre Spuren hinterließen, unter dem Eindruck der wiederkehrenden Hoffnung auf, und bei der Befreiung von Paris schließt er sich bereitwillig seinem Freund, dem Dichter Paul Eluard, an und tritt der Kommunistischen Partei bei. Mit einem Mal gilt er als Symbol für den Widerstand der Kunst gegen den Nazismus, und der – seit langem akademisch gewordene – Herbstsalon beschließt als Hommage an ihn eine Retrospektive seiner jüngsten Werke. Das Publikum hatte lediglich Bekanntschaft mit *Guernica* machen können, denn seine Werke fanden sich in keinem Museum und waren einzig in Galerien ausgestellt, die nur Kunstliebhabern bekannt waren. Die Nazi-Besatzung hatte verboten, sie zu zeigen. – Das Unverständnis schlug in einen Skandal um, was Picasso nicht verwunderte, sondern entzückte.

Seine Stilleben bleiben damals von der Tragödie gezeichnet, denn der Krieg ist nicht zu Ende. Vielleicht hat ihn die schmerzliche Erfahrung der ›Rückkehr zur Ordnung‹ nach 1918 belastet, aber Picasso widmet sich bezeichnenderweise einem großen, strengen Gemälde, das ein Gegenstück zu *Guernica* bildet: *Das Beinhaus.* Der schlecht gewählte Titel (bis auf wenige Ausnahmen stammt kein Titel von Picasso selbst) geht darauf zurück, daß man das Thema des Bildes fälschlich auf die Entdeckung der Toten in den Nazi-Lagern bezogen hat. Es ist ein Requiem für die unschuldig ums Leben Gekommenen. Wann immer Picasso den Tod gemalt hat, geschah es, um seinen Sinn zu verstehen. *Das Beinhaus* entlarvt eine aus den Angeln gerissene Welt, wo der Mord über die Unschuldigen kommt, genauso wie er in *Guernica* vom Himmel herabgestürzt war; aber das Bild spricht uns noch direkter an: Was für einen Sieg erleben wir? Noch ist nichts gewonnen.

Damit gerät Picasso in Widerspruch zum militanten Optimismus seiner kommunistischen Genossen. Acht Jahre lang sieht er sich in Schwierigkeiten, angesichts seiner idealistischen Befürwortung des Kommunismus einerseits, in dem er die beste Bürgschaft für einen wahren Frieden sieht, angesichts der offiziellen Illusionen des Sozialistischen Realismus andererseits; die Probleme seiner Kunst liegen woanders. Als die junge Malerin Françoise Gilot in sein Leben tritt, ereignet sich eine neue lyrische Explosion, deren Schauplatz das Schloß von Antibes sein wird, später ein Picasso-Museum. Das entstehende Gemälde-Ensemble auf Hartfaserplatte ist Ausdruck zugleich der Verherrlichung einer neuen Liebe *(Joie de vivre)* und der Einsicht, daß sich das

Les Demoiselles
des bords de la Seine

malerische Umfeld verändert hat. Die surrealistischen Überraschungen und Erfindungen weichen einer Wiedergewinnung der Abstraktion, die danach strebt, sich aus dem geometrischen und kühlen Korsett der Vorkriegszeit zu befreien. Fragen wie: Wie kann man nach Auschwitz, nach Hiroshima malen? tauchen auf. Bemerkenswerterweise finden die Gemälde auf Hartfaserplatte von 1946 zur Kraft der abstrakten Konstruktionen von Cadaqués zurück. In zwei Versionen der *Küche* treibt Picasso 1948 die Abstraktion noch weiter. Er bringt sich nicht in Mode. Er befragt nur seine Malerei mit Blick auf die verschiedenen Probleme, die von der neuen Malergeneration aufgeworfen werden.

Zumal es eine Periode großer Unsicherheit ist. Nach dem Zweiten Weltkrieg verzeichnet man keine Tabula rasa wie Dada, keine Rückkehr zum Klassisizmus. Die ›lyrische Abstraktion‹ wird erst um 1949–1950 Bürgerrecht erhalten, zu dem Zeitpunkt, als sowohl Picasso wie auch Matisse den New Yorker abstrakten Expressionismus entdecken und Moskau sie als Apostel der Dekadenz denunziert. Nur eines ist sicher: Das 20. Jahrhundert wird nicht mehr das sein, was es vorher war.

Picasso wendet sich neuen Techniken zu, die ihm unversehens verfügbar werden, der Lithographie bei Mourlot in Paris und der Keramik in Vallauris. Er stürzt sich voll und ganz hinein in diese sich anbahnende Übergangsphase, in der er eine militante Aktivität für den Frieden entfaltet und 1948 am Wroclawer (Breslauer) Kongreß in Polen teilnimmt (von wo aus er Auschwitz besucht). Eine seiner Tauben-Lithographien, die *Friedenstaube*, macht Aragon zum Symbol des Friedenskongresses von 1949. Sie wird um die ganze Welt gehen und ein virtuoses Bild der Kunst Picassos verbreiten. Seine Malerei wird dieses Engagement widerspiegeln *(Massaker in Korea*, 1951, *Krieg und Frieden*, 1954). Sein Porträt Stalins stößt bei der Kommunistischen Partei auf Unverständnis und trägt ihm Tadel ein, ohne seiner Mitgliedschaft Abbruch zu tun. Er malt Françoise *(Die Blumenfrau*, 1946) und ihre beiden Kinder Claude und Paloma, doch kommt es bald erneut zu einer privaten Krise. Die Trennung von Françoise fällt mit der politischen Neubesinnung zusammen, die nach Stalins Tod eintritt. In der Einsamkeit stellt sich Picasso mit zweiundsiebzig Jahren in Frage: Auf

hundertachtzig Zeichnungen hält er alles fest, was sich zwischen Malern jeder Art und jungen oder alten Frauen, ihren Modellen, abspielen kann. Seine Kunst hat sich gewandelt. Er setzt sich nicht mehr mit der Geschichte auseinander, zu unmenschlich, als daß er seinen Einfluß feststellen könnte, sondern schreitet zu einer Selbstanalyse, die ebenso gründlich ist wie die der großen Wende von 1906–1907. Picasso bemerkt jetzt, daß seine Malerei diesen anderen Weg bereits eingeschlagen hat, ohne daß er es wegen seiner Konflikte mit dem Kommunismus einerseits und mit Françoise andererseits wirklich beachtet hätte, einen Weg, der ihm unermeßliche, nahezu unberührt gelassene Gebiete eröffnet, zu denen seine jüngeren Kollegen keinen Zugang haben. Schließlich ist das 20. Jahrhundert erst bei der Hälfte angelangt, und er fühlt sich, wie er zu Kahnweiler sagt, in Hochform und kann noch »auf Leitern klettern«.

Die Blumenfrau,
Porträt
Françoise Gilot

»Die Malerei ist stärker als ich …«

Wann immer sich Picasso bislang mit einem großen Maler der Vergangenheit auseinandergesetzt hatte, es ging darum, dessen Gültigkeit neu zu vermitteln und sich selbst zu beweisen, daß er ihm in der Sprache des 20. Jahrhunderts ebenbürtig sein konnte. Was hatten die vergangenen Jahrhunderte bewirkt, daß man besser über die Kunst von Raffael und Velázquez Bescheid wußte als sie selbst? Mußte man sie nicht, wie es Picasso mit Ingres und Poussin getan hatte, in eine nachkubistische Sprache übertragen oder Le Nain zu Seurat führen? Doch fortan stellte sich das Problem auf andere Weise. Es galt nicht länger, den Wert von Innovationen in Bildsprache und Handwerk an solchen Aufgaben zu überprüfen. Das 20. Jahrhundert hatte nicht nur das Erscheinungsbild der Malerei und das Verhältnis zur physischen Realität verändert, indem es ungekannte Geschwindigkeiten, verzögerungslose Kommunikation oder die Bildtransformationen des Kinos mit sich brachte, sondern um 1950 herum wurde auch deutlich, daß es eine andere Vision der Welt und des Menschen, folglich der Kunst, einschloß. Die Übertragung von Meisterwerken aus der Vergangenheit ins 20. Jahrhundert bekam daher einen anderen Sinn. Was konnte er sie noch Gültiges sagen lassen, gerade nach Auschwitz? Was immer noch Neues, indem er sie vom Schutt der

Porträt Sylvette

Die Ziege

Las Meninas

toten Malerei befreite? Wie stand es um das Ewige in der Malerei?

Picasso hatte mit einer Lithographie begonnen, *David und Bathseba* nach Cranach dem Älteren. Darauf folgten im Februar 1950 Schlag auf Schlag das *Bildnis eines Malers* nach El Greco und die *Demoiselles des bords de la Seine* nach Courbet, deren Formen nicht einfach auseinandertreiben, sondern mit dem Raum, den ihre Rhythmen definieren, verschachtelt sind. Sie warfen erneut das brennende Problem der Beziehung zwischen Figuren und Raum auf. Doch Vorrang hat die Metamorphose des Bildnisses in den vierzig *Porträts von Sylvette,* einer jungen Frau mit einer (für die damalige Zeit) unerwarteten Frisur: einem ›Pferdeschwanz‹. In diesem Augenblick taucht in seinem Leben und seiner Malerei Jacqueline auf, die eher Sylvettes als Françoises Generation angehört; sie wird Picassos Gefährtin während der großartig fruchtbaren achtzehn Jahre, die ihm zu durchlaufen bleiben.

Das Jahr 1954 bringt jäh den Verlust seiner Mitstreiter bei der großen Wende von 1906: Im Spätsommer stirbt Derain an den Folgen eines Autounfalls, im November Matisse, der unumschränkte Rivale. Wann immer ein Meister der Malerei starb, empfand Picasso die Verantwortung, sein Erbe anzutreten. So war es ihm 1901 mit Lautrec und 1906 mit Cézanne ergangen. Hatte er nicht bei der Nachricht von Gauguins Tod eine *Tahitianerin* gemalt, die er mit *Paul* Picasso signierte? Wenn Derain nach 1920 aus der modernen Kunst verschwunden war, so hatte Matisse bis ans Ende Meisterwerk auf Meisterwerk geschaffen. Seine letzten Papierschnitte erzeugten Farbrhythmen in zerborstenen Kompositionen, nie Gesehenes noch je Gemaltes. Matisse vermachte ihm seine Odalisken …

Das nahm die Form eines Dialogs in vierzehn Gemälden mit Delacroix' *Frauen von Algier* an. Es ergab sich, daß Jacqueline der Frau, die in der Louvre-Version die Wasserpfeife hält, erstaunlich ähnlich sah. Im Medium der Kunst Delacroix' verfolgt also Picasso die Erkundung jener Frau, die sein unerschöpfliches Modell sein wird, aber gleichzeitig konfrontiert er die romantische Komposition mit der Sprache von Matisse. Er wird dieses Vorhaben in seiner neuen Villa in Cannes, ›La Californie‹, die maurische Architekturteile besitzt, weiterverfolgen. Die neue Serie setzt den Dialog mit Matisse und seinen Bildzeichen fort. Jacqueline und das Atelier werden zu Linien abstrahiert, zu Farbflächen, die sich ins Weiß des Lichts einschreiben. Von welchem Augenblick an wird eine reine abstrakte Form zum Zeichen für etwas anderes, für ein Objekt, eine Figur? Was gibt in der ungegenständlichen Komposition den Ausschlag zur Analyse der Außenwelt? Von welcher Abweichung der Linienführung, welchem Farbtupfer an herrscht Darstellung?

In der Zeit der Durchbrüche von 1912–1913 hatte Picasso sich bereits ähnliche Probleme gestellt, als er beispielsweise ausprobierte, welches Minimum an Collagiertem ausreichte, um aus einer Zeichnung ein Papier collé zu machen; als er unter Verwendung von Schablonen mit Oberflächen experimentierte, die in der Malerei eine Trompe-l'œil-Wirkung von Collage erzeugen, oder mit der Reduzierung von Objekten und Figuren auf einfachstmögliche Ideogramme. Diese Untersuchung der pikturalen Sprache, der Sprache des Bildes, kannte kein Ende. Sie gehört offenkundig zu den Fragen der Epoche, wie sie die strukturale Sprachwissenschaft stellt, denn Picasso befindet sich in geistiger Symbiose mit seiner Zeit, ohne daß er sich auf die Spezialisten zu berufen bräuchte. Diese Symbiose findet sich dann in allen Auseinandersetzungen mit den Vorgängern wieder, deren Werke fortan als äußeres Ausgangsmaterial behandelt werden: Die sezierten und auf siebenundfünfzig Gemälden rekonstruierten *Las Meninas* von Velázquez (1957), *Das Frühstück im Freien,* mit dem er sich in den Jahren 1960–1961 beschäftigt. Darauf folgen die Sequenzen über Maler und Modell ab 1963, die Vervielfältigung der »Jacquelines«, in denen Picasso die Zeichen und Kompositionen von Picasso erkundet.

Das ist jedoch nur ein Teil der Auseinandersetzung mit der Abstraktion. Der Widerspruch zwischen Figur und Tiefenraum wandelt sich zum Widerspruch zwischen Zeichen und Raum der Malerei. Schon *Les Demoiselles des bords de la Seine* nach Courbet behandelte Figuren und Raum durchgängig als Verflechtung von Zeichen, genau wie 1909–1910 hatte Picasso alles in geometrisierte Facetten zerlegt. Fortan wird diese Dialektik aufs höchste verallgemeinert, so daß sämtliche formalen Kontraste gestattet sind, die verblüffendsten Zerlegungen und Synthesen in Werken mit reichsten Rhythmen, mit dieser apodiktischen Ausdruckskraft, die Picassos Signatur schlechthin ist.

Der Umfang seiner Produktion steigt unaufhörlich an, denn um seinen 80. Geburtstag herum wird Picasso immer öfter von dem Gedanken geplagt, er werde sterben, »ohne alles gesagt zu haben«. Seit 1949 ist der neue Kurs seiner Malerei mit einer Wiederaufnahme der Skulptur einhergegangen. Zunächst von der Keramik angeregt, steht anfangs das Modellieren im Vordergrund: *Die schwangere Frau* (1949), dann die Assemblage, die Abfallgegenstände transponiert: *Frau mit Kinderwagen, Seilhüpfendes Mädchen, Ziege* (1950), *Pavian mit Jungem* (1951), *Lesende Frau* (1952), bis schließlich die Skulptur in der dritten Dimension einen Dialog mit der Malerei aufnimmt: *Ziegenschädel, Flasche und Kerze* (1951–1953), der bis zum monumentalen *Frauenkopf* in Chicago (1964) fortgeführt wird. In der Zwischenzeit übertreffen die geometrischen Assemblagen der *Badenden* (1956), ein *Kopf* aus einer Verpackungskiste (1958) von heftiger Aggressivität, eine aus einem Brenner gemachte *Venus mit Gas* sowie eine Unmenge von ausgeschnittenen und bemalten, für monumentale Vergrößerungen vorgesehenen Bleche alle bisherigen Experimente.

Picasso ist auf dem Höhepunkt seiner schöpferischen Meisterschaft, nicht nur weil Auge und Hand ihm vom hohen Alter unbehelligt alle praktischen Großleistungen ermöglichen, sondern auch weil er sein eigenes Jahrhundert intellektuell beherrscht. Durch seine Gemälde und Skulpturen entdeckt er selbst immer mehr den Sinn seines Kubismus, seines Surrealismus und kann sie in vollständig freien Synthesen integrieren.

Auch wenn das Wesentliche seiner künstlerischen Arbeit nicht länger von geschichtlichen Umständen bestimmt wird, bleibt er mit der Zeitgeschichte befaßt. Er wird zu den Intellektuellen gehören, die nach dem Einmarsch in Ungarn 1956 einen außerordentlichen Parteitag der Kommunistischen Partei fordern. Ein im Mai 1958 gemalter Stierkopf, der aus der Vergangenheit des Jahres 1938 aufzutauchen scheint, drückt seine Besorgnis über De Gaulles Rückkehr an die Macht aus. Die Kuba-Krise 1962 bewegt ihn zu einer Auseinandersetzung mit Poussins *Massaker der Unschuldigen* und Davids *Raub der Sabinerinnen*. Aber das Wesentliche liegt doch in der Untersuchung dessen, was Malerei bedeutet. Und bezieht er sich, wenn ein Einfall sie herbeiruft,

auf seine großen Vorgänger, so ist es doch immer mehr seine eigene Malerei, die ihm das Material seiner Experimente liefert.

Durch die Maßlosigkeit der Immobilienmakler von ›La Californie‹ verjagt, ersteht er das Schloß Vauvenargues, das heißt die Montagne Sainte-Victoire. Die Ankunft in der Provence Cézannes erweckt in ihm ein lebhaftes Interesse an der Frage, was sein Blick der eigenen Herkunft verdankt, dem, was Maurice Jardot »ein ganz inneres Spanien, glühend, ernst, einfach, stark und freimütig: ein Spanien der Tiefe« nennen wird. Das Spanien, von dem Francos Fortleben ihn exiliert. Diese neuerliche Rückbesinnung setzt er im ›Mas de Notre-Dame de Vie‹ in Mougins fort, und hier liegt einer der Schlüssel zu dem, was er 1963 in das Skizzenbuch, das die Serie *Maler und Modell* eröffnet, eingetragen hat: »Die Malerei ist stärker als ich; sie läßt mich machen, was sie will.«

Das ist kein Testament, sondern das Manifest eines zweiundachtzigjährigen Mannes, der sich am Anfang grenzloser Eroberungen fühlt. Ohne Umschweife und ohne Rast hat er sie in Zeichnung, Graphik und Malerei zugleich ins Werk gesetzt. Der zur Tabula rasa drängende Aufstand der Jugend, der 1945 nicht stattgefunden hatte, bricht zu Beginn dieser sechziger Jahre international aus mit den Angriffen der Pop art gegen den abstrakten Expressionismus, der ›Nouveaux Réalistes‹, der Gruppe Support-Surface oder der Minimalisten gegen die Staffeleimalerei.

Hatte Picasso es als natürlich empfunden, Zielscheibe seiner jüngeren Kollegen zu sein, so stellte er sich auch gegen den Tod der akademischen Kunst; aus der Sorge, daß der Tod der Kunst überhaupt eintreten könne. Die nazistischen und stalinistischen Attacken gegen die moderne Kunst bestärkten ihn in seiner Befürchtung. In einer Situation, wo die Verspottung, die Verneinung jeglichen Handwerks durch die jungen Leute, die sich unter dem Banner der Anti-Kunst versammelten, bis zum Kniefall vor dem erstbesten Alltagsding, bis zum Kult des Happenings zu gehen schien, fühlte er sich herausgefordert. Er, der es verstanden hatte, Industrieabfälle zur Kunst zu erheben, sah, wie das ausgehende 20. Jahrhundert den Sinn seiner Anstrengungen ins Gegenteil verkehrte; er sah eine Hingabe an die materielle Erscheinung, an den sakralisierten Schund, einen neuen Akademismus der Nicht-Kunst. Er hatte sich bereits mit der Sorge getragen, daß die sich ausbreitende Abstraktion mit dem Ver-

Degas in der Maison Tellier

lust des Malhandwerks einhergehen könnte. Die Ausweitung der Gefahr erkannte er in der Unbekümmertheit des »Alles ist Kunst«. Dada, noch mal im Ernst gespielt unter dem fünfzigjährigen Banner Duchamps! Zur selben Zeit begrüßte zwar die Kritik Picassos Ausstellungen mit übermäßigem Respekt, stellte ihn aber ins Abseits: »Picasso amüsiert sich.«

Paris bereitete zu seinem fünfundachtzigsten Geburtstag eine komplette Retrospektive seiner Malerei vor. Picasso beschloß unvermittelt, sie gewaltig aufzustocken, indem er erstmals sein Laboratorium enthüllte, das Ensemble seiner praktisch unbekannten Plastik, noch nie gezeigte Assemblagen: seine ganze Aktivität außerhalb der Normen füllte das Petit Palais. Es war praktisch umsonst. Bis auf seine Freunde war niemand in Frankreich darauf vorbereitet, die Bedeutung dieser Ausstellung zu ermessen, die die Geschichte der modernen Kunst, wie sie bis dahin geschrieben worden ist, ins Wanken brachte. Nicht so im New Yorker Museum of Modern Art, das bereits eine stattliche Sammlung seiner Plastiken besaß. William Rubin erreichte dort die Schenkung der Gitarren-Assemblage von 1912–1913, der ersten Plastik offener Form, sowie ihres unbekannten Archetyps aus Pappe.

Zu diesem Zeitpunkt nimmt die Graphik in Picassos Aktivität einen wichtigen Platz ein. Nachdem er eine ernste Operation überstanden hat, überträgt er ihr den Nachweis, daß er nichts von seiner Maestria verloren hat, trotzt aber zugleich ihren althergebrachten Regeln und verknüpft in Serien von atemberaubender Fülle, Kühnheit und Schönheit die Erkundung des Erotischen – die in Frankreich noch immer mit Zensur belegt wird – mit einer riesigen Commedia dell'Arte der spanischen Pikareske, die er 1968 in 347 Radierungen ausstellt. Und das ist nur die erste Phase eines Abenteuers, das sich in Hunderten von Blättern bis 1971 ohne Unterlaß fortsetzt, wo es in *Degas in der Maison Tellier* gipfelt, einer Sequenz von unübertrefflicher Virtuosität, unerbittlich in der Frage nach dem Verhältnis zwischen Kunst und Sexualität.

Derartige Herausforderungen hätten gereicht, die ganze Schöpferkaft eines jungen Mannes zu beschäftigen. Auf die Vierundachtzig zugehend, spricht Picasso sich gegen die moderne ›Überwindung‹ des illusionistischen Erbes der Vergangenheit aus und

Au Lapin agile

gibt sich gleichzeitig der ungeheuerlichsten Zertrümmerung und Infragestellung der Malerei hin. Die Ursache dieser Haltung ist wahrscheinlich in dem Umstand zu suchen, daß sich im Frankreich der sechziger Jahre eine autonome Fernsehsprache mit spezifischen Bildkompositionen entwickelt hatte, auch Live-Aufnahmen mit Teleeffekten gezeigt wurden. Während er selten ins Kino ging, war Picasso zu einem eifrigen Fernsehzuschauer geworden, und er hatte allen Anlaß, es in seiner Malerei mit der typischen neuen Herausforderung aufzunehmen, die ihn gerade in jener Neustrukturierung des Bildes betraf, der er sein Leben als Maler geweiht hatte.

Wie dem auch sei, er macht sich aufs neue, wie zu Zeiten der *Demoiselles d'Avignon,* an die systematische Zerbrechung seines Handwerks, diesmal aber nicht mehr wie damals, um seine Mauser zum Künstler des 20. Jahrhunderts durchzumachen. Er zerschlägt jetzt das Handwerk seiner modernen Malerei. Gegen allen Anschein ist dies kein ikonoklastisches Unterfangen – übrigens hat es Meisterwerke von solch großartiger Freiheit wie die *Großen Figuren* oder den *Matador* von 1970 hervorgebracht –, sondern eine Bereinigung, mit der er graphische Verkürzungen, geleckte abstrakte Basteleien und Materialeffekte, die zu einer neuen Routine geworden sind, herunterbeizt. Er walzt wirklich seine eigene Kunst nieder, dekonstruiert sie, wie keiner seiner jüngeren Kollegen dazu imstande wäre, und zwar nicht nur, um sie zur Preisgabe aller ihrer Geheimnisse zu zwingen, sondern auch, um endlich aufzudecken, worin die Malerei »stärker« war als er. Ganz so, als verweigere er die Vollendung seiner Kunst und wolle sie seinen Nachfolgern als Baustelle hinterlassen.

Es ist ein Titanenkampf, auch gegen die kurze Zeit, die ihm bleibt. Da macht er sich also ans »mal faire«, scheut nicht die summarischsten Linienzüge, die haltlosesten Kompositionsfehler, selbst Gröblichkeiten der Ausführung, als ob ihm sein hohes Alter die Konzentration verwehrte – um alles im allerletzten Moment abzufangen und seinen unauslöschlichen Stempel auf Bilder wie die *Umarmung,* das *Paar* oder der *Kuß* zu drücken, Bilder, vor denen die angesagten Kritiker die Flucht ergreifen, als sie 1970 und 1973 in Avignon ausgestellt werden. Ebenfalls aus der Unmöglichkeit der Malerei entstehen ein *Stehender Badender,* ein *Kind mit Schaufel,* ein *Mutterbild,* liegende oder ruhende Akte, Musikanten, und es ist dabei eine um so kühnere Expressivität an den Tag gelegt, als sie dem Nichts entgegensieht, dem endgültigen Stillstand der Pinsel Ende 1972. Aber zuvor wird Picasso mit den allereinfachsten Mitteln, wie spielend, einen *Jungen Maler* erschaffen, dem die ganze Zukunft offensteht.

Von daher die außerordentliche Intensität dieser Endphase in Hunderten von Gemälden, ohne Zugeständnisse an wen oder was auch immer, die die Möglichkeiten der Kreation bis zum letzten ausschöpft und mit den Zeichnungen des eigenen Todes zum Abschluß kommt. Picasso, der seit der *Letzten Wegstrecke* seiner Anfänge nie aufgehört hatte, mit dem Tod zu hadern, mußte, als er sein Ende nahen spürte, seiner Kunst den Blick auf den eigenen Tod abverlangen, auf die unwiederbringliche Auflösung des Wesens, das er gewesen war und dem er, Atheist seit je, kein anderes Überleben zumaß als das seiner Werke. Worin er sich zweifellos bis zuletzt als jener Mann erwies, der das 20. Jahrhundert mit seinen eigenen Augen sah, wie Gertrude Stein wußte.

Die französischen Museen, die von Picasso nie auch nur ein Werk gekauft hatten, ließen dieses *Selbstporträt vor dem Tod* vom 30. Juni 1972 nach Japan abwandern. Aber sie hatten es nach allem auch nicht verdient.

Triumph nach dem Tod

Zu Lebzeiten Picassos ist sein schöpferischer Werdegang praktisch nie wissenschaftlich nachgezeichnet worden. Dagegen hatte er bereits sein *Selbstporträt* von 1901 den Verkaufsrekord für ein modernes Gemälde schlagen sehen, was in ihm gemischte Gefühle gegenüber einem virtuosen Werk seiner neunzehn Jahre zurückließ. Er war sich nicht sicher, ob die überschwengliche Begeisterung für dieses Gemälde nicht von dem Umstand herrührte, daß es 1911 bei Thannhauser zuerst von Hugo von Hofmannsthal gekauft worden war. Was

hätte er gesagt, wenn er erfahren hätte, daß dasselbe Selbstporträt 1981 mit der zehnfachen Summe, genau 5,83 Millionen Dollar, erneut den Rekord brach und daß dieser Preis bei einem neuen Rekord 1989 mit 47,85 Millionen Dollar abermals verachtfacht wurde? Dieselbe mit Verlegenheit gemischte Überraschung hätte er ganz ohne Zweifel bei der Nachricht empfunden, daß die *Hochzeit der Pierrette* mit 300 Millionen diesen Rekord übertreffen sollte.

Wahrscheinlich hätte er mehr beachtet, daß *Im Lapin agile,* ein schwierigeres, stärkeres Gemälde, Ende 1989 40,7 Millionen Dollar erreichte, und daß vor allem sein *Spiegel* von 1932, eines der schönsten Bilder aus dem Marie-Thérèse-Zyklus, 26,4 Millionen Dollar erzielt hat. Was immer die Ursachen für diese hemmungslose Spekulation auf moderne Kunst sein mögen, bemerkenswert ist, daß ihre Werteskala weit mehr auf dem Geschmack und vor allem den Rangkriterien privater Käufer oder wohlhabender Institutionen beruht als auf der objektiven Bedeutung der Kunstwerke selbst. Picasso hätte sich mit dem Gedanken getröstet, daß van Gogh, der Verfemte, eine ähnlich stürmische Begeisterung auslöst, mit ebenso wenig rationalen Preisschwankungen, wenn beispielsweise die *Promenade de Manet* nur 14 Millionen Dollar erzielt.

Ich selbst bleibe davon überzeugt, daß Picasso in alledem keinerlei Sieg für seine Ideen oder für seine Kunst gesehen hätte. Schließlich setzt sich sein Pariser Museum aus Werken zusammen, die seine Händler abgelehnt hatten oder die er nie hatte verkaufen wollen, und bei den meisten von ihnen ist zu bezweifeln, ob der Markt sich vor ihrer Museumsweihe um sie gerissen hätte. Hatte Picasso sein Lebtag vom Kunstmarkt gelebt, hatte er auf die Preise geachtet, die er dort erzielte, so betrachtete er ihn nichtsdestoweniger mit wohlbedachtem Mißtrauen: »Was ist im Grunde ein Maler?«, fragte er eines Tages seinen Händler Kahnweiler. »Es ist ein Sammler, der sich eine Sammlung aufbauen will, indem er die Bilder, die er bei den andern liebt, selber malt. So fange ich an, und dann wird daraus etwas anderes.«

Dieses »etwas anderes« macht, daß die Kunst Pablo Picassos vom 20. Jahrhundert nicht mehr zu trennen ist.

Pierre Daix.

Die dokumentarischen Quellen dieses Essays finden sich in meiner Biographie Picasso créateur, *Paris 1987, vor allem in der völlig neu bearbeiteten amerikanischen Ausgabe.*

Eine spanische Kindheit

Pablo Ruiz kommt am 25. Oktober 1881 in Málaga als Sohn eines Vaters baskischer Herkunft und einer andalusischen Mutter zur Welt. Der Junge ist der erste Erbe der Familie. Von seiner Mutter hat er die schwarzen Augen und pechschwarzen Haare; unter ihrem Namen wird er malen. Maria Picasso, die ihre Mutter und ihre beiden alleinstehenden Schwestern zu sich in die behagliche Wohnung an der Plaza de la Merced geholt hat, wacht eifersüchtig über den Knaben.

Pablo zeigt bald eine ausnehmende Begabung für das Zeichnen. Noch ehe er schreiben kann, schneidet er aus großen Papierbögen allerlei Tiere aus, um damit seine Spielgefährten zu beeindrucken.

Don José Ruiz Blasco sieht in der Begabung seines Sohnes eine Art Entschädigung für sein eigenes Schicksal. Er ist ein sanfter Mensch, strebsam in seiner Arbeit, aber ohne Talent, der gleich mehrere Ämter wahrnimmt: Als Zeichenlehrer, Gemälderestaurator sowie Konservator am städtischen Museum in Málaga.

Don José, so ganz anders als die übrige Familie mit seinen blonden Haaren, seiner bleichen Hautfarbe und seinen hellen Augen, widmet sich in seiner Freizeit der Malerei. Vögel sind sein bevorzugtes Sujet, und häufig weist er Pablo an, er möge seine Bilder fertigmalen. Vor allem die Füße der Vögel, das, was am schwierigsten zu bewerkstelligen ist. Der Junge fügt sich, und das Ergebnis ist von beunruhigender Vollkommenheit. Er begnügt sich aber nicht damit, seinem Vater bei den »Speisezimmerbildern« zu helfen, wie er sie später genannt hat. Er hat seine eigenen Kladden, seine persönliche Arbeit. Mit acht Jahren vollendet Pablo sein erstes Gemälde, das er stolz mit *Der Picador* betitelt und sein ganzes Leben lang aufbewahrt. 1891 schließt das städtische Museum von Málaga seine Tore. Don José ist gezwungen, einen Posten als Zeichenlehrer am Instituto Da Guarda in La Coruña anzunehmen. Vor der Abreise trennt er sich jedoch feierlich von seinem Malzeug, mit aller Hellsicht eines Mannes, dem sein Sohn ein weit besserer Maler dünkt als er selbst.

»Da gab er mir«, so hat es Picasso viel später erzählt, »seine Farben und seine Pinsel und hat nie mehr gemalt.« Dieser Machtabtretung bewußt, signiert Picasso seine Werke von nun an nicht mehr mit seinem vollen Namen Pablo Ruiz Picasso, sondern nur noch mit dem väterlichen Familiennamen Pablo Ruiz. Die Familie hat Zuwachs bekommen, und Pablo hat jetzt zwei Schwestern, Lola und Concepción. Aber kaum ein paar Monate nach der Ankunft in La Coruña stirbt Concepción an Diphterie. Im Frühsommer 1895 führt Don José seinen Sohn ins Madrider Pradomuseum. Der Junge entdeckt verwundert die großen Meister der spanischen Malkunst.

1.
Die Plaza de la Merced in Málaga, wo die Familie Ruiz bis 1891 lebte.

1

»Ich habe nie Kinderzeichnungen gemacht. Mit zwölf Jahren malte ich wie Raffael.«

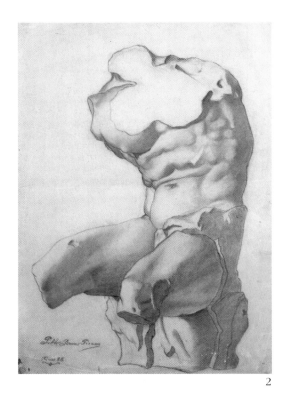

2

2.
Antikenstudie. Später hat Picasso gesagt: »Ich bin kein Anhänger davon, sich einer bestimmten Schule anzuschließen, denn das führt nur zum Manierismus derer, die diesem Weg folgen.«

2. *Torso,* 1892–1893
Kohle und schwarze Kreide auf Papier,
52,4 x 36,7 cm. Museo Picasso, Barcelona

3. *Porträt der Mutter des Künstlers,* 1896
Pastell auf Papier, 49,8 x 39 cm
Museo Picasso, Barcelona

3.
Picasso ist vierzehn Jahre alt, als er in Barcelona dieses Porträt seiner Mutter in Pastell malt.

Im Jahre 1895 wird Picassos Vater zum Lehrer an der Kunstschule von Barcelona ernannt.

Picasso mag diese nach Europa geöffnete Stadt mit ihrem lebendigen Treiben auf Anhieb. Er ist vierzehn, zu jung, um für die Aufnahmeprüfung der Kunstschule anzutreten. Doch sein Vater legt sich bei der Jury ins Mittel und erlangt schließlich die nötige Ausnahmegenehmigung. Bei der Aufnahmeprüfung sind Studien nach der Antike, der Natur und dem lebenden Modell sowie ein Gemälde zu absolvieren.

Die Meisterlichkeit des jungen Künstlers macht einen starken Eindruck auf die Lehrer. Pablo wird mit glänzendem Ergebnis in die Klasse der höheren Schule aufgenommen. Don José frohlockt. Durch diesen Erfolg ermutigt, bewegt Pablo seinen Vater, ihm ein kleines Atelier zu mieten, damit er ungestörter arbeiten kann. Damals entstanden die bei-

2

den großen akademischen Meisterwerke des Fünfzehnjährigen: *Die erste Kommunion* und *Wissenschaft und Nächstenliebe*. Dieses letztere Gemälde, das in mancher Hinsicht an den Todeskampf Concepcións erinnert, erhält bei der nationalen Kunstausstellung in Madrid eine ehrenvolle Erwähnung und in Málaga die Goldmedaille. In den Augen der Familie des jungen Malers ist das ein erstes Ruhmesblatt. Nun schickt man Picasso nach Madrid, doch ein Scharlachfieber zwingt ihn sehr bald, zu seiner Familie heimzukehren.

Pablo hat jetzt sein eigenes Atelier und verkehrt fleißig in dem Kabarett *Els 4 Gats*, wo sich die literarische und künstlerische Avantgarde von ganz Barcelona trifft: der Maler Casagemas und der Dichter Jaime Sabartés, die seine besten Freunde werden, der Architekt Reventos, der Bildhauer Manolo Hugue.

Das Kabarett, das er mit fünfundzwanzig ganzfigurigen Porträts dekoriert, wird zu einem seiner bevorzugten Ausstellungsorte. Picasso arbeitet, feiert die Freundschaft, treibt sich in einem benachbarten Bordell mit Prostituierten herum; er ist achtzehn und glücklich.

»Els 4 Gats … Das war schon Montmartre an der Plaza Catalunya.«

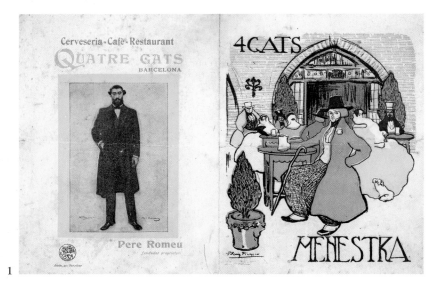

1

3

1.
Den Umschlag für die Speisekarte des 4 Gats hat Picasso 1899 gezeichnet. Er macht sich den Spaß, seiner Zeichnung einen ›englischen Touch‹ in der Manier eines Aubrey Beardsley zu geben. Auf der Rückseite der Karte Pere Romeu, Besitzer des Kabaretts, Maler, Dichter, Träumer, vernarrt in Paris, Aristide Bruant und dessen *Chat Noir*.

2.
Auf diesem Plakat Picassos erscheinen von links nach rechts die Porträts von Pere Romeu, Picasso, Roquerol, Fontbona, Angel, F. de Soto und Sabartés.

3.
Dieses Selbstporträt des Fünfzehnjährigen hebt sich in seiner betont romantischen Haltung von den akademischen Bildnissen ab, die der Künstler ausführte, um seine Lehrer zufriedenzustellen.

4.
Streng komponiert, zeugt dieses Gemälde von der Virtuosität seines jungen Autors, trotz der akademischen Machart und Sujetwahl. In den Gesichtszügen des Arztes am Kopfende des Krankenlagers ist Picassos Vater Don José wiederzuerkennen.

1. *Umschlag der Speisekarte des Kabaretts Els 4 Gats,* 1899–1900
Druck, 21,8 x 32,8 cm, Museo Picasso, Barcelona

2. *Plakat für Els 4 Gats,* 1902
Federzeichnung, 31 x 34 cm
Privatsammlung, Ontario

3. *Selbstporträt mit widerspenstiger Tolle,* 1896
Öl auf Leinwand, 32,7 x 23,6 cm
Museo Picasso, Barcelona

4. *Wissenschaft und Nächstenliebe,* 1897
Öl auf Leinwand, 197 x 249,5 cm
Museo Picasso, Barcelona

Paris

Das Jahr 1900 läßt sich schwierig an. Der junge Mann ist keineswegs vermögend, und Unstimmigkeiten mit seiner Familie im Jahr zuvor haben seine Einkünfte beträchtlich geschmälert.

Da beschließt er, mit seinem treuen Freund Carlos Casagemas ein Atelier zu teilen. Das Atelier ist unmöbliert, winzig und schlecht geheizt. Einerlei! Da sie sich keine Möbel leisten können, dekoriert Picasso die Wände, indem er sie mit dem bemalt, was der Ort vermissen läßt: Tisch, Schrank und Anrichte. Außerdem hat Picasso zu tun: Er bereitet eine große Ausstellung mit Zeichnungen und Gemälden für das Kabarett Els 4 Gats vor. Es handelt sich hauptsächlich um Porträts in Bleistift, Kohle oder Aquarell von Persönlichkeiten Barcelonas wie dem Maler Joaquín Mir. Es kommt vor, daß die Modelle selbst die Zeichnungen für zwei oder drei Peseten kaufen, wovon sich ein pantagruelischer Schmaus bestreiten läßt, zu dem alle Stammgäste des Kabaretts geladen werden. Endlich, im Oktober, verlassen Picasso, Casagemas und Manuel Pallarés zum ersten Mal Spanien.

Picasso träumte seit langem von Paris, der Hauptstadt von Kunst und Liebe, die Tou-

1

2

»Wenn ich einen Sohn hätte und er wollte Maler werden, ich würde ihn keinen Augenblick in Spanien zurückhalten.«

louse-Lautrec, Steinlen, Cézanne, Degas, Bonnard und vielen anderen Malern, die der junge Spanier bewundert, Heimat gab.

In Paris logieren die drei Freunde im Atelier ihres Landsmanns, des Malers Nonell, in der Rue Gabrielle 49 am Montmartre. Nonell macht sie mit der Stadt bekannt und stellt ihnen drei hinreißende Modelle vor: Antoinette, Odette – und Germaine! Casagemas verliebt sich unrettbar in sie. Picasso macht daraufhin Odette den Hof.

3

1.
Montmartre zu der Zeit, als Picasso Paris entdeckte. Im Hintergrund rechts ist das Bateau-Lavoir zu sehen, wo Picasso von 1904 bis 1909 gelebt hat.

2.
Die *Corrida,* ein Pastell aus dem Jahre 1900, gehörte vermutlich zu der Folge von Stierkämpfen, die Berthe Weill kaufte.

3.
Studien aus dem Jahre 1899. Das Gesicht im Profil links und die mittlere Figur mit Hut zeigen Picasso mit stets widerspenstiger Tolle. Er trägt die Bohemekluft, auf die er großen Wert legte.

4. Dieses Bild von klassischer Ausgewogenheit erinnert daran, daß Picasso die Kunstschule mit ihrem akademischen Unterricht besucht hat. Aber die Leuchtkraft der Farben und die Vollkommenheit der Zeichnung machen dieses Werk zu einer bemerkenswerten Komposition, die an die Linienführung Steinlens oder Toulouse-Lautrecs denken läßt.

Vorige Seiten:
Im Restaurant
Öl auf Leinwand, 33,7 x 52 cm, Privatsammlung

2. *Corrida,* 1900
Pastell. 36 x 38 cm, Privatsammlung

3. *Studien,* 1899
Musée Picasso, Paris

4. *Spanisches Paar vor einem Wirtshaus,* 1900
Pastell auf Karton, 40 x 50 cm, Privatsammlung

VINO

-P.R. Picasso-

»Ich finde Kopieren entsetzlich, aber ich zögere nicht, wenn man mir zum Beispiel einen Karton alter Zeichnungen vorlegt, mir so viel ich kann anzueignen.«

1
Picasso erkennt Cézanne als einen seiner Lehrmeister an, lange bevor dieser im Herbstsalon von 1904 triumphiert. Cézanne, der zahlreiche Bilder der *Montage Sainte-Victoire* gemalt hat, war der erste, der »die Natur nach Maßgabe von Kugel, Kegel und Zylinder« auffaßte.

1

2

2.
Diesen Türsturz hat Gauguin für die Front seines Hauses auf der Insel Hiva Oa geschnitzt, das auf Pfählen stand und mit Kokospalmblättern gedeckt war. Picasso liebte Gauguins Malerei ebensosehr wie den Menschen, seit er dessen faszinierende Autobiographie *Noa Noa* gelesen hatte. Als er im Dezember 1903 vom Tod des Maler erfährt, signiert Picasso den weiblichen Akt, an dem er gerade malt, mit *Paul* Picasso.

3.
Picasso wohnte Boulevard de Clichy Nr. 130, in der obersten Etage. Sein Zimmer stellt er in der realistischen Technik dar, die er aus Barcelona mitgebracht hat. Auch der Einfluß von Degas, Vuillard und Lautrec ist zu bemerken: An die Wand geheftet Lautrecs Plakat der Tänzerin May Milton. Picasso gibt an, es auf der Straße abgerissen zu haben.

3

4.
Die Haare sind kürzer, brav zu beiden Seiten des Scheitels frisiert, der Anzug elegant. Der Dandy Picasso trägt sogar Gamaschen!

Picasso erkundet nun die Museen, von denen er geträumt hatte. Im Louvre studiert er Degas, Ingres und Delacroix, bewundert die gotischen Skulpturen im Musée de Cluny und entdeckt die Impressionisten. Er arbeitet, füllt seine Kladden mit Skizzen und signiert hinfort Pablo R. Picasso.

In diese Zeit fallen zwei entscheidende Begegnungen: Er lernt Mañach kennen, einen katalanischen Industriellen, der sich für seine Malerei interessiert, und zwar so sehr, daß er ihm monatlich 150 Francs im Tausch gegen regelmäßige Lieferung einiger Bilder oder Zeichnungen anbietet. Und Berthe Weill, eine ganz junge, leidenschaftlich für moderne Malerei eingenommene Frau, die ihm drei Gemälde abkauft und seine erste Händlerin wird. Sie erzählt: »Mañach kümmert sich unausgesetzt um seine Landsleute. Ich erstehe von ihm die ersten drei Gemälde, die Picasso in Paris verkauft hat, eine Folge von Stierkämpfen, 100 Francs die drei. An Herrn Huc ein wichtiges Ölbild, *Le Moulin de la Galette,* für 250 Francs verkauft.«

1. *Die Montagne Sainte-Victoire,* 1904–1906 (Paul Cézanne). Öl auf Leinwand, 60 x 72 cm Kunstmuseum, Basel

2. *Maison du Jouir,* 1901 (Paul Gauguin) Geschnitztes Holzbrett, Türsturz 40 x 244 x 2,5 cm. Musée d' Orsay, Paris

3. *Das blaue Zimmer (Die Toilette),* 1901 Öl auf Leinwand, 50,4 x 61,5 cm Philipps Collection, Washington

4. *Picasso als Madrilener,* 1901 Bleistift, 46 x 16,5 cm Privatsammlung

5. *Aufgestützter Harlekin,* 1901 Öl auf Leinwand, 80 x 60,5 cm Metropolitain Museum of Art (Schenkung Mr. & Mrs. John L. Loeb), New York

4

Picasso und Casagemas verlassen Paris und kehren zurück nach Barcelona. Doch sehr bald verschärfen sich die Konflikte Picassos mit seiner Familie. Die Eltern schätzen sein Bohemegebaren nicht und mißtrauen seiner kühnen Malerei. Man erträumt sich für ihn eine ruhmreiche Laufbahn als akademischer Maler, während er beharrlich danach strebt, »modernistischer zu sein als die Modernisten«.

Eilig flieht Picasso aus Barcelona, wo man ihn nicht mehr versteht.

Zu dieser Enttäuschung kommt der Kummer seines Freundes Casagemas, der unglücklich ist, Germaine fern zu sein, die er nicht hatte erobern können. Die beiden Freunde machen für ein paar Tage einen Abstecher nach Málaga und hoffen, dort Mut und Energie wiederzufinden.

»Es soll nicht auf der einen Seite die Zeichnung geben und die Farbe auf der anderen (...) Wenn man am Ende Zeichnung und Farbe anschaut, dann muß das dasselbe sein.«

1 bis 3.
Das Paris des anbrechenden Jahrhunderts bietet eine im damaligen Spanien unvorstellbare Freiheit des Geistes und der Sitten: Verliebte küssen sich in aller Öffentlickeit, Frauen gehen alleine ins Café ... Lieber als auf den Avenuen, wo die eleganten Damen verkehren, oder im Gedränge von Gardenparties (1) hält Picasso sich in den schmalen Gassen auf, wo Arbeiter, Künstler und Gauner zusammenkommen, in den Cafés, wo lauthals geredet wird und man eine Frau mit verstörtem Blick vor einem Glas Absinth antrifft.

2

1

Eine Woche später trennen sich die jungen Leute, bestärkt von neuen Entschlüssen, neuen Projekten: Casagemas fährt zurück nach Paris, um Germaine wiederzusehen, diesmal in der Zuversicht, ihr Geliebter zu werden.

Picasso reist nach Madrid, um eine ehrgeizige Zeitschrift herauszugeben und zu illustrieren, *Arte Joven,* gegründet und geleitet von dem katalanischen Schriftsteller Francisco de Asis Soler.

Die ersten Nummern kommen heraus. Aber trotz ihrer intellektuellen und künstlerischen Qualität wird die Zeitschrift ein Mißerfolg. Für Picasso ist das ein harter Schlag. Und sein Jammer ist um so größer, als er gerade eine tragische Nachricht erhalten hat: Sein Freund Casagemas hat sich in Paris das Leben genommen.

Pablo ist betäubt, zerschlagen vor Kummer. Allmählich versinkt er in eine Melancholie, die ein paar Monate später zu einer außergewöhnlichen Schaffensphase führt. Während einer Zeit von mehr als vier Jahren betont er immer stärker die Monochromie: Die ›Blaue Periode‹ entsteht.

3

2. *Die Absinth-Tinkerin,* 1901
Öl auf Leinwand, 73 x 54 cm
Eremitage, Leningrad

3. *Dans la vie,* 1900 (Steinlen)
Tusche und Pastell

4. *Frau mit Haarknoten,* 1901
Öl auf Leinwand, 75 x 51 cm
Harvard University Art Museum
(Schenkung der Sammlung Maurice Wertheim),
Cambridge

4.
In der 1901 gemalten *Frau mit Haarknoten* ist das Gesicht Germaines zu erkennen.

Die Freundschaft und der Tod

Casagemas, der Freund der guten und der schlechten Tage, ist tot. Er hat sich eine Kugel in die Schläfe geschossen, nachdem er Germaine im *Café L'Hippodrome*, Boulevard de Clichy 128, bedroht hatte. Er hatte Picassos Alter. Zwanzig Jahre. Pablo ist niedergeschmettert. Auf Drängen des katalanischen Malers Mañach, der für ihn eine Ausstellung bei dem berühmten Händler Ambroise Vollard organisieren will, kehrt Picasso nach Paris zurück und zieht in das Atelier von Casagemas am Boulevard de Clichy 130.

Im Herbst setzt eine der außergewöhnlichsten Perioden im Malerleben Pablos ein, die Blaue Periode. Nun malt er die Einsamkeit, das Elend, den Kummer, die Kälte der Welt und ihre Gleichgültigkeit gegen die Verzweiflung der kleinen Leute. Die Künstler aus Picassos Umkreis nehmen seine neuen Gemälde mit Enthusiasmus auf. Für Sabartés »kehrt Picasso zu sich selbst zurück (...), man kann versichern, daß die blaue Malerei ein Zeugnis von Gewissen ist«. Rückkehr zu sich selbst und zum Leben, wie es ist. Ohne Flitter, ohne Mogeleien. Es bedarf einiger Kühnheit, um

1 und 4.
Zwei Vorstudien für *Das Leben* wurden wiedergefunden, darunter eine, in der Picasso dem Mann seine Züge verleiht. In der endgültigen Fassung ist es Casagemas, an dessen Schulter sich eine traurig zu Boden schauende Frau lehnt. Das Paar ist nackt oder fast nackt, denn Casagemas trägt einen weißen Schurz vor dem Geschlecht, Symbol einer unmöglichen Sexualität: Das Paar wird nie fruchtbar sein. Deshalb bleibt die Gebärde dieses Mannes gegen die gewandete Frau, sie, die ein Kind in den Armen hält, ohne Antwort. Zwei Skizzen in der Bildmitte drücken Schmerz und Einsamkeit aus. *Das Leben* gehört zu den Meisterwerken der Blauen Periode.

1

»An Casagemas denkend fing ich an, in Blau zu malen.«

2

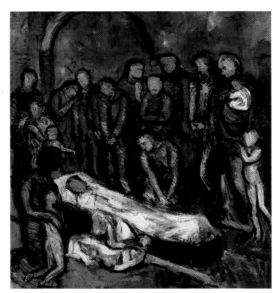

3

2 und 3.
Um diese ihn bedrängende Erinnerung zu vertreiben, malt Picasso zahlreiche Porträts seines verstorbenen Freundes. In *Casagemas' Tod* ist deutlich die von der Kugel hinterlassene Blutspur auf der Schläfe des Selbstmörders zu erkennen. Aus dem Gedächtnis malt Picasso Casagemas im Leichentuch, beleuchtet von einer Kerze, deren seltsamer Lichtschein an van Goghs Technik erinnert.

monochrom zu malen in einer Zeit, wo der Fauvismus in Erscheinung tritt. Wenn aber diese Kühnheit die Freunde des Malers entzückt, so mißfällt sie den Händlern und dem Publikum. Mañach löst den Vertrag, mit dem er sich verpflichtet hatte, Picasso monatlich 150 Francs auszuzahlen. Berthe Weill kann nicht länger standhalten: »Ich verkaufe wohl hie und da ein paar Picassos, Zeichnungen oder Gemälde, aber ich bin nicht imstande, für ihn zu sorgen und ich bedaure es sehr, denn er nimmt es mir übel, seine Augen machen mir Angst, er weiß das und er nutzt es aus.«

1. *Das Leben* (Studie), 1903
Federzeichnung, 15,9 x 11 cm
Musée Picasso, Paris

2. *Casagemas' Tod*, 1901
Öl auf Holz, 27 x 35 cm
Musée Picasso, Paris

3. *Der Tote (Die Grablegung)*, 1901
Öl auf Leinwand, 100 x 90,2 cm
Privatsammlung, USA

4. *Das Leben*, 1903
Öl auf Leinwand, 196,5 x 128,5 cm
Museum of Art (Hanna-Found), Cleveland

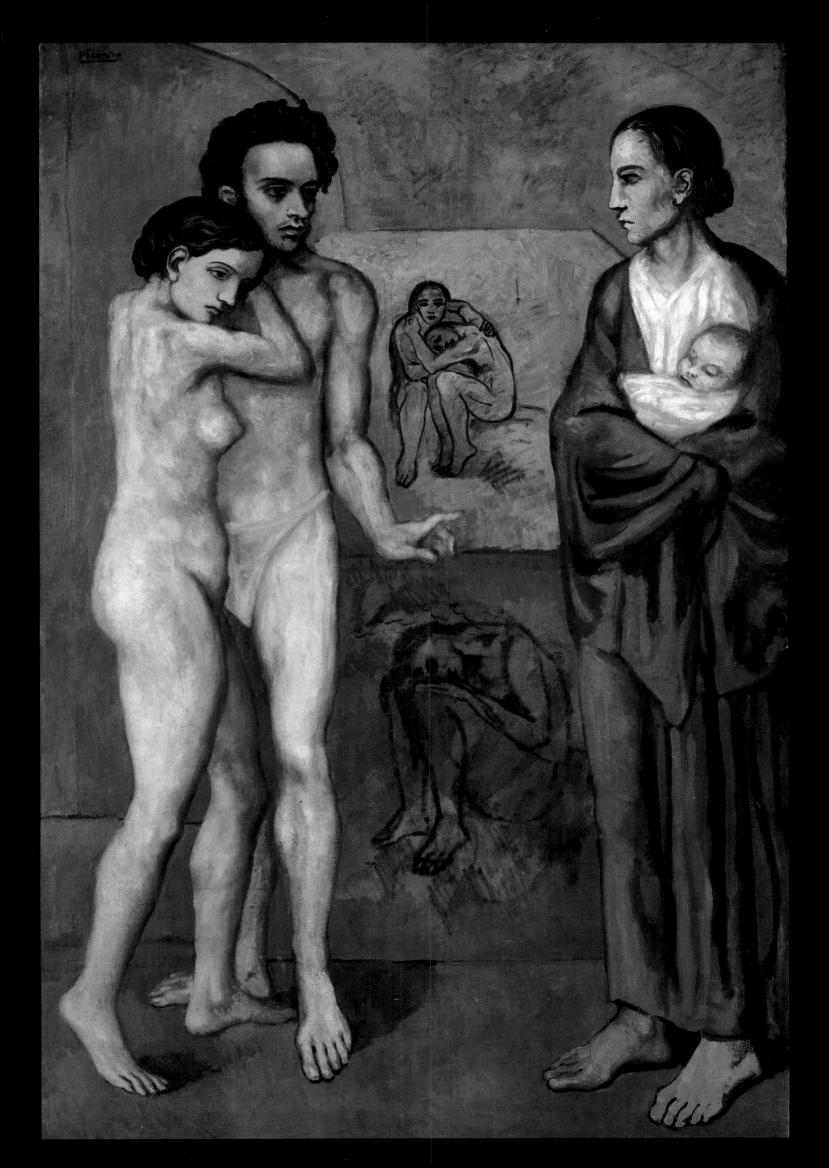

Max Jacob vor dem Bateau-Lavoir

2   3

Später hat Picasso sich erinnert: »Als ich anfing, blaue Bilder zu malen, hat das überhaupt keinen Gefallen gefunden. Jahrelang nicht. So ging es mir immer. Erst sehr gut, und dann auf einen Schlag sehr schlecht.«

Zu dieser Zeit begegnet Picasso Max Jacob, einem mittellosen Dichter und Kunstkritiker. Sehr bald sympathisieren die beiden Männer, und der Maler findet in Max seinen ersten französischen Freund und einen seiner glühendsten Bewunderer:

»Ich war von seiner Arbeit so hingerissen (…), daß ich ein Wort der Bewunderung bei Ambroise Vollard hinterlassen hatte. Und noch am selben Tag erhielt ich von Herrn Mañach eine Einladung, diese Arbeit zu besichtigen. Vom ersten Tag an empfanden wir füreinander große Sympathie. Er war von einem Schwarm armer spanischer Künstler umgeben, die sich zum Essen und Plaudern auf den Boden setzten. Er malte zwei oder drei Bilder am Tag, trug einen Zylinderhut wie ich und verbrachte seine Abende damit, in den Kulissen der Music-Halls (…) die Hauptdarstellerinnen zu porträtieren.«

Picasso und Max Jacob beschließen, das wenige Geld, das sie besitzen, zusammenzulegen und teilen sich ein Zimmer am Boulevard Voltaire. Weil das Zimmer nur ein kleines Bett hat, schlafen die beiden Männer abwechselnd: Picasso malt die Nacht durch und legt sich frühmorgens schlafen, wenn Max zur Arbeit aufbricht. Es ist ein Leben in großer Not, kräftezehrend und qualvoll.

Mürbe geworden von der Müdigkeit, der Unterernährung und der Kälte, kehrt Picasso heim nach Spanien.

Gleichwohl ist er im Jahr darauf wieder in Paris, wo er sich in einem von Malern bewohnten, großen und heruntergekommenen Bau am Montmartre niederläßt, dem Max Jacob den Beinamen *Bateau-Lavoir* gibt.

4

3 und 5.
Das karge Mahl, Picassos zweite Zinkradierung, ist ein Meisterwerk der Technik. Die Magerkeit der Figuren, die Feinheit der Hände und deren extreme Biegsamkeit erinnern an das im Jahr zuvor gemalte *Mahl des Blinden.* Der Bemerkung seines Freundes Sabartés: »Picasso hält die Kunst für ein Kind von Traurigkeit und Schmerz« hielt Pablo entgegen: »Ich male nur meine Zeit.«

4. Diese Fotografie, die der katalanische Maler Ricardo Casals 1904 aufgenommen hat, trägt eine Widmung für den Geiger Henri Bloch und seine Schwester Suzanne, eine hochtalentierte Wagner-Sängerin, die Picasso im selben Jahr porträtiert hat.

2. *Das Bistrot.* Steinlen.
Plakat.

3. *Das karge Mahl,* 1904
Zinkradierung, Schwarzabzug
46,3 x 37,7 cm, Museum of Modern Art
(Schenkung Mrs. A. A. Rockefeller), New York

5. *Das Mahl des Blinden,* 1903
Öl auf Leinwand, 95 x 94,5 cm
Metropolitan Museum
(Schenkung Mr. & Mrs. Ira Haupt), New York

1904: Das Bateau-Lavoir

Das Bateau-Lavoir ist ein riesiger Schuppen, feucht, schmutzig, ohne fließendes Wasser oder Elektrizität. Aber es ist auch ein wunderbarer Unterschlupf für mittellose Künstler, die hier wie eine große Familie leben. Madame Coudray, die großherzige Concierge, beschützt diese kleine Welt so gut sie kann und bringt den Bedürftigsten Brot und Suppe. Picasso läßt sich im Frühjahr 1904 dort nieder und schließt sich bald mit André Salmon zusammen, der in seinen *Souvenirs sans fin*

1

2

an das Atelier des Malers erinnern wird: »Eine Bretterbude zum Malen (…). In die Form des ursprünglichen Ateliers hineingeschnitten ein kleines Zimmer, darin so etwas wie ein Bett (…). Um zu malen oder Bilder vorzuführen, war die Kerze vonnöten (…), die Picasso vor mir hochhielt, als er mich menschlich in die übermenschliche Welt seiner Hungernden, Invaliden und milchlosen Mütter einführte, die suprareale Welt des blauen Elends.

Aber wenn auch das Geld fehlt, an Lebenshunger fehlt es nicht. Max Jacob erzählt von den Nächten in Picassos Atelier: »Wir hatten nicht die sechs Sous für das Bock gegenüber, aber unter dem Schirm einer Petroleumlampe, die mit einem Draht an den mit Spinnweben überzogenen Deckenbalken befestigt war, improvisierten wir Szenen, ganze Stücke, verrückte Verkleidungen. Picasso lachte, machte mit, und zum Lachen wollten wir ihn bringen.«

1.
Das Bateau-Lavoir in der Rue de Ravignan. Picasso hat die genaue Lage seines Ateliers durch Ankreuzen der Fenster bezeichnet. Auch Braque, van Dongen, Juan Gris, Modigliani, Pierre Reverdy, Mac Orlan, Max Jacob und viele andere Künstler des beginnenen Jahrhunderts haben hier gelebt.

2.
Picasso am Montmartre im Jahre 1904. »Im Bateau-Lavoir, ja, da war ich berühmt! Als Uhde aus dem hintersten Deutschland kam, um meine Bilder zu sehen, als die jungen Maler aller Länder mir brachten, was sie malten, mich um Rat fragten, als ich nie einen Heller hatte. Da war ich berühmt, ich war ein Maler, kein sonderbares Tier.«

3.
Modell ist hier Margot, die Tochter des Inhabers vom *Lapin Agile*. Sie heiratet später den Schriftsteller Pierre Mac Orlan. Die Palette des Malers nimmt wärmere Töne an, die Monochromie herrscht nicht länger ausschließlich: ein Orangeocker hellt die Leinwand auf.

3. *Die Frau mit der Krähe*, 1904
Gouache und Pastell auf Karton, 65 x 49,5 cm
Museum of Art, Toledo, OH

Fernande

»Ich bin Picasso begegnet, als ich an einem gewittrigen Abend nach Hause ging. Er hielt ein junges Kätzchen in den Armen, das er mir lachend anbot, wobei er mich am Vorbeigehen hinderte. Ich lachte wie er. Er ließ mich sein Atelier besichtigen.«

Fernande Olivier ist großgewachsen, kräftig gebaut, sinnlich. Ihre Haare sind von einem dunklen Rot, und ihr heiteres Wesen gefällt Picasso. Die junge Frau und der Maler werden neun Jahre lang zusammenbleiben.

Picasso ist vernarrt. Er zeichnet sie tausend und aber tausendmal, er ist glücklich, und seine Malerei hellt sich auf. Fernande organisiert Picassos Leben, so gut sie kann, ohne an die Unordnung zu rühren, mit der er sich zu umgeben liebt und die er zum Malen braucht. Etwas zu essen und zu heizen zu finden, ist ihre Hauptbeschäftigung. Wenn Pablo eine Zeichnung verkauft, kocht sie Valencianische Paella, ihre Spezialität. Wenn kein Geld da ist, greift sie auf den ›Pâtisseur-Trick‹ zurück: »Wir bestellten ein Mittagessen beim Pâtisseur an der Place des Abbesses. Mittags klopfte der Laufbursche vergebens, ließ seinen Korb stehen, und die Tür ging auf, sobald er fort war.«

Bei der Kohle dieselbe Technik: »Ich kann nicht aufmachen, ich bin völlig nackt«, ruft Fernande dem jungen Laufburschen zu, der verdutzt seinen Sack ablädt und von dannen zieht: »Dann zahlen Sie halt das nächste Mal!«

Fernande und Pablo sind glücklich, trotz des Bohème-Lebens: »Das Atelier war im Sommer ein Backofen. Picasso und seine Freunde empfingen die Besucher halbnackt, nur mit einem um die Hüften geschlungenen Tuch bekleidet. Im Winter war es derartig kalt in diesem Atelier, daß die vom Vortrag in den Tassen gebliebenen Teereste am nächsten Tag gefroren waren. Es war das Ende der Blauen Periode. Große unfertige Leinwände standen im Atelier herum, wo alles nach Arbeit roch, aber Arbeit in was für einer Unordnung . . .«

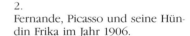

1.
Van Dongen, seine Frau und ihre Tochter Dolly ziehen 1906 im Bateau-Lavoir ein. Das Atelier des Malers im Erdgeschoß links ist das kleinste von allen und das einzige, das ein Fenster zum Platz hat. Man hält ihn daher öfters für den Hausmeister. Die van Dongen sind eng befreundet mit Fernande und Pablo – den die kleine Dolly, die stundenlang mit ihm spielt, *Tablo* nennt. Van Dongen malt mehrere Porträts von Fernande, Vorformen der berühmten Frauen mit Mandelaugen, die später seinen Ruf begründen.

2.
Fernande, Picasso und seine Hündin Frika im Jahr 1906.

3.
Au Lapin Agile (Wörtlich ›Zum flinken Kaninchen‹, eigentlich abgeleitet vom Namen des Mannes, der das Aushängeschild entworfen hat), das berühmte Kabarett in der Rue Saint Vincent, das dem Père Frédé gehört, ist der Treffpunkt der Künstler von Montmartre. Frédé sitzt im Hintergrund, eine Gitarre in den Armen. Sich selbst hat Picasso als Harlekin gemalt. Neben ihm Germaine, die hier zum letzten Mal im Werk des Malers auftaucht. Fernandes Einzug in Picassos Dasein macht der Blauen Periode ein Ende. Vom Einfluß Toulouse-Lautrecs und Steinlens befreit, malt Picasso dieses Bild in hellen und leuchtenden Farben.

1. *Porträt Fernande* 1906, (Kees van Dongen)
Pastell, 61 x 72 cm
Musée du Petit-Palais, Genf

3. *Au Lapin Agile (Harlekin mit Glas)*, 1906
Öl auf Leinwand, 99 x 100,5 cm
Privatsammlung, New York

Picasso begegnet Matisse

Im Jahr 1905 besucht Picasso den Herbstsalon und entdeckt mit Staunen die zweite Ausstellung der Fauves. Das Publikum reagiert verstört auf die Malerei dieser jungen Künstler, die sich schon im Salon des Indépendants von 1903 hervorgetan hatten. Aber diesmal ist ihnen ein ganzer Saal gewidmet. Die Farbe triumphiert. Nicht mehr sie hängt von der Realität ab, sondern die Realität von ihr, da der Maler, um seinem Empfinden Ausdruck zu geben, die Palette ganz nach dem Ermessen seiner Einbildungskraft einsetzen kann. Ein Baum kann gelb sein, der Himmel grün, eine Wiese rot. Die Farbe ist nicht länger ein Mittel der Darstellung, sondern wird selbst zu einem Zweck, der sich über die Linien der Zeichnung und sogar den Bau der Komposition hinwegsetzt. Ein paar aufgeklärte Geister zeigen sich enthusiastisch, aber die große Mehrheit der Besucher mokiert sich: »... Hat mit Malerei nichts zu tun: formloses Kunterbunt, Blau, Rot, Gelb, Grün, lauter rohe, auf gut Glück nebeneinandergesetzte Farbkleckse (...) Begnügen wir uns damit, die Namen dieser Leute zu zitieren, deren Kunst wohl nur dem Irrsinn oder der Lust zu scherzen entspringen kann: Es sind die Herren Derain, Marquet, Matisse (...)«, schreibt der unzufriedene Kunstkritiker – der es sonst durchaus nicht an Einfühlungsgabe fehlen läßt! – im *Journal de Rouen*.

Einen Skandal erregt neben anderen Werken die *Frau mit Hut* von Matisse, wo der Maler allein im Gesicht der Frau Grün, Rot und Gelb verwendet. Matisse, der als Anführer der Bewegung auftritt, erklärt den Fauvismus so: »Die herrschende Tendenz der Farbe muß es sein, nach Möglichkeit dem Ausdruck zu dienen. Ich setze Töne ganz ohne vorgefaßte Absicht ... Die expressive Seite der Farbe drängt sich in rein instinktiver Weise auf. Die Wahl meiner Farben beruht auf ... dem Gefühl, auf der Erfahrung meiner Sensibilität.«

Ein Jahr nach dem Salon, im Jahr 1906, begegnen sich Matisse und Picasso. Der eine ist fünfunddreißig, der andere siebenundzwanzig. Die beiden Männer belauern und bespähen sich, hegen füreinander tiefe Bewunderung mit einem Anflug von Eifersucht.

Während Matisse und seine Jünger die Farben sprühen lassen, vergißt Picasso das Blau und wendet sich dem Rosa zu.

1

1.
Fernande, Picasso und Reventos 1906 in einem Café.

2

2.
Dieses Bild erregte im Salon von 1905 einen Skandal. Die Schriftstellerin Gertrude Stein und ihr Bruder Leo aber täuschten sich da nicht und kauften die *Frau mit Hut* für 500 Francs, bevor sie mit dem Maler Freundschaft schlossen.

3.
Der rote Haarschopf, die tiefschwarzen Augen, die kräftige Nase und die begehrlichen Lippen dieser eleganten *Frau mit blauem Hut* erinnern an das Gesicht Fernandes, die Picasso allerdings noch nicht kannte, als er das Bild malte.

2. *Frau mit Hut,* 1905 (Matisse)
Privatsammlung

3. *Frau mit blauem Hut,* 1901
Pastell auf Karton, 60,8 x 49,8 cm
Galerie Rosengart, Luzern

Von der Rosa Periode zu den Bildern aus Gósol

Fernande bringt Heiterkeit in Picassos Leben, und der Freundeskreis der beiden dehnt sich aus. Nicht mehr nur spanische Künstler klopfen an die Ateliertür, sondern all jene, die künftig die neue ›Picasso-Bande‹ bilden. Tagsüber wird geschlafen oder gearbeitet, bei Anbruch der Nacht sieht man sich wieder.

Eines der Hauptvergnügen der ›Bande‹ ist es, sich um einen gut gedeckten Tisch zusammenzufinden. Im *Aux Enfants de la butte* zum Beispiel, wo der Besitzer, Monsieur Azon, einfache, aber reichliche Speisen anbietet. Derain, Braque, Vlaminck, van Dongen, Charles Dullin, Paul Fort, Modigliani, Max Jacob, Picasso und Fernande sind Stammgäste des Lokals.

Am Samstagabend bevorzugt man die *Mère Adèle* in der Rue Norvin und ihr Gastmal zu zwei Francs mit Wein und Likör nach Belieben.

Wenn das Geld ausgeht, wendet man sich an die Frauen, die alle ihr Spezialrezept haben: Fernande die Valencianische Paella, Marie Laurencin eine wundervolle Makkaronisuppe, Madame van Dongen Rührei mit Zwiebeln und Äpfeln.

Nach dem Abendessen trägt Max Jacob Texte von Alexandre Dumas, von Rimbaud und bisweilen seine eigenen Verse vor. Apollinaire macht seine Freunde – vor allem Derains Frau, die durch Restif de la Bretonnes *Anti-Justine* auf den Geschmack gekommen war – mit den großen erotischen Texten bekannt. Ungerührt nutzt Derain die Gelegenheit zum Versuch, Picasso die Anfangsgründe des Boxens beizubringen. Der Box- und Radfahrnarr Maurice de Vlaminck gesellt sich gleich dazu.

Nie aber ist die ›Picasso-Bande‹ so glücklich wie dann, wenn der Zirkus Médrano ihr seine Pforten öffnet.

»Wir konnten uns vom Médrano nicht mehr trennen. Wir besuchten ihn drei- bis viermal die Woche«, erzählt Fernande. »Nie habe ich Picasso aus so vollem Herzen lachen hören. Er freute sich wie ein Kind. Auch Modigliani, Juan Gris, Derain, Utter, Suzanne Valadon (...) kamen.«

Die Gaukler, 1905
Öl auf Leinwand, 212 x 296 cm
National Gallery (Chester Dale Collection),
Washington

Picasso ist glücklich, und das schlägt sich in seiner Malerei nieder. Die Farbe – ein blasses Rosa – steigert sich manchmal bis zum Rot, seine Linienführung ist geschmeidiger, abgerundeter, zarter geworden. Und vor allem malt er nicht mehr das Elend der kleinen Leute, die Einsamkeit der Blinden und ausgehungerten Greise, sondern junge Akrobaten mit graziöser Silhouette, Athleten mit gewaltigen Schultern, Harlekine im Prunkkostüm.

Denn Picasso hat das fahrende Volk entdeckt, die Gaukler. Und sie will er malen.

»... Picasso blieb an der Bar, im Stallgeruch, der heiß und ein bißchen widerlich aufstieg. Dort blieb er (...), schwatzte den ganzen Abend mit den Clowns; er fand Spaß an ihrem tollpatschigen Gehabe, ihrem Tonfall, ihrem schlagfertigen Wortgeplänkel ... Vla-

1

minck, Picasso und Léger mit ihren Rollkragenpullovern waren so heimisch in diesem Milieu, daß man sie eines Tages für eine Truppe auf der Suche nach einem Engagement hielt«, erinnert sich Fernande. Die Rosa Periode besänftigt die von der Blauen Periode Verschreckten. Kunstkritiker, Händler und Publikum finden zu Picasso zurück. Im April 1905 schreibt Apollinaire in *La Revue Immoraliste* den ersten Artikel, der ausschließlich von Picasso handelt.

»Von Picassos Arbeiten behauptete man, sie bewiesen eine Ernüchterung vor der Zeit. Ich glaube das Gegenteil. Picasso läßt sich von allem bezaubern. Sein unbestreitbares Talent

1 und 2.
»Öfters haben Picasso und ich mit ein paar anderen Künstlern versucht, in der Gegend des Zirkus Médrano etwas zu verkaufen. Wir legten unsere Bilder auf dem Boden aus. Der Preis betrug hundert Sous.« (Kees van Dongen)

3.
Picasso arbeitete an der Büste seines Freundes Max Jacob. Von einem Abend im Zirkus Médrano nach Hause kommend, bekam er Lust, den Kopf zum Clownskopf umzugestalten. Nur das Gesicht erinnert an den Dichter.

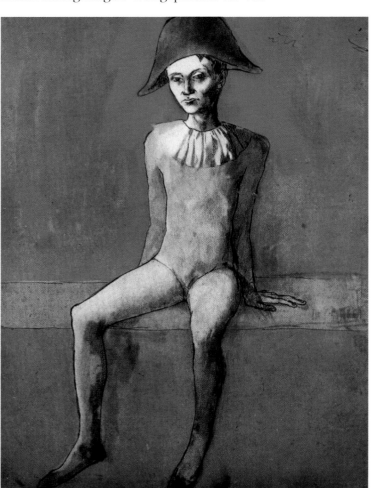

2

3

4.
Drei- bis viermal die Woche besucht Picasso den Zirkus Médrano. Als aufmerksamer Zuschauer erschaudert er, wenn sich die Trapezkünstler ins Leere stürzen, lacht über die Possen der Clowns, bewundert die Geschicklichkeit des Jongleurs und den Mut des Tierbändigers. Im Zirkus ist er glücklich wie ein Kind, und aus der Welt der Gaukler schöpft er die Anregungen für seine schönsten Bilder.

2. *Harlekin vor rotem Grund,* 1905
Tusche und Aquarell auf Papier
Privatsammlung, Paris

3. *Der Narr,* 1905
Bronze, 40 x 35 x 23 cm
Musée Picasso, Paris

4. *Akrobat mit Ball,* 1905
Öl auf Leinwand, 147 x 95 cm
Puschkin-Museum, Moskau

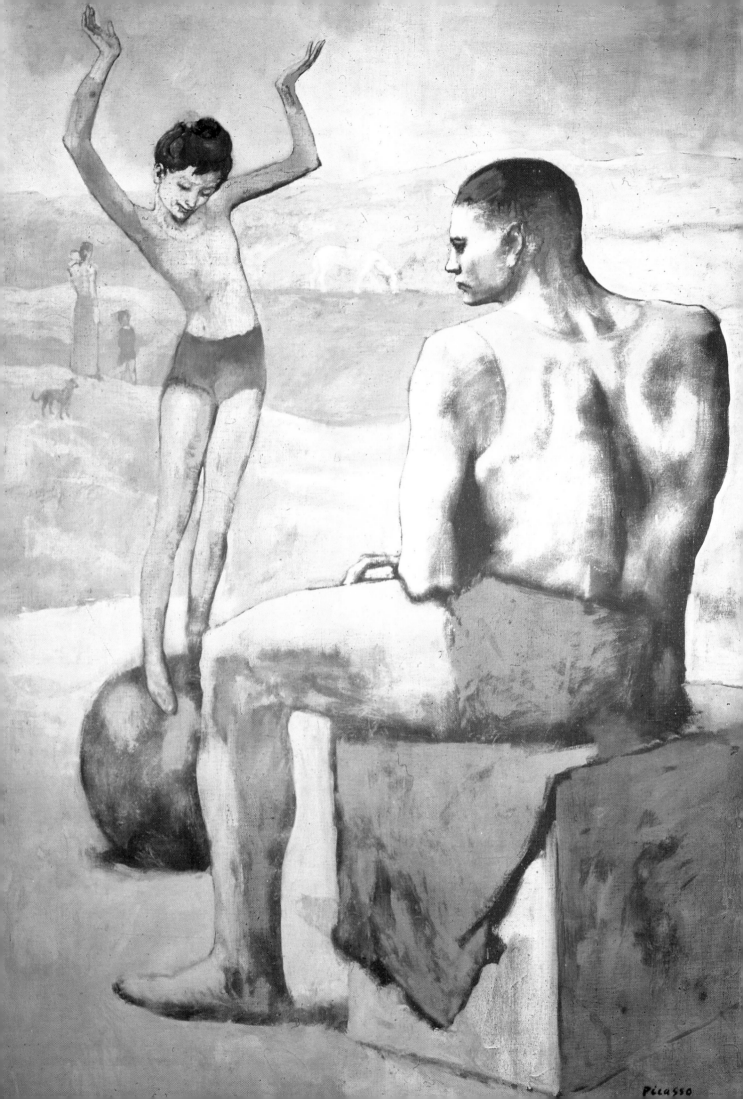

scheint mir im Dienst einer Phantasie zu stehen, die das Wunderbare mit dem Schrecklichen, das Abstoßende mit dem Delikaten mischt.«

Gertrude und Leo Stein besuchen das Atelier des Malers und verlassen es mit Bildern für 800 Francs. Der Kunsthändler Vollard, wohl durch Matisse, den ihm Gertrude Stein vorgestellt hatte, auf Picassos Talent aufmerksam gemacht, kauft Gemälde für nicht weniger als 2 000 Francs.

»Das Leben wurde materiell leichter«, berichtet Fernande, »Picasso hatte eine Brieftasche, darin waren die Scheine, weil er es noch nicht wagte, sie zu Hause zu lassen. Er bewahrte die Brieftasche in einer Innentasche seiner Jacke auf, die er vorsichtshalber fest mit einer großen Sicherheitsnadel verschloß. Sobald er einen Schein brauchte, machte er so diskret es ging die Nadel auf. Aber das war gar nicht so leicht.

»In Rom gibt es zur Karnevalszeit vermummte Gestalten (in der Maske des Harlekins, der Columbine oder der cuoca francese), die nach einer ausschweifenden Nacht, die manchmal mit einem Mord endet, in den Petersdom eilen, um die abgenutzte Zehe des Apostelführers zu küssen. Das ist die Art von Wesen, die Picasso feiern würde. Unter den wundervollen Gewändern seiner schlanken Clowns spürt man tatsächlich die Gegenwart junger Menschen des Volkes – wendig, verschlagen, geschickt, arm und betrügerisch.«
(Guillaume Apollinaire, 1905)

Mit dem Geld der Steins und Vollards kann Picasso verreisen. Primitive Skulpturen, die man vor kurzem in Spaniens Boden entdeckte und die Anfang des Jahres im Louvre ausgestellt waren, haben ihn stark beeindruckt. Er hat Heimweh nach Spanien. Picasso und Fernande brechen also auf nach Gósol, einem kleinen Dorf des katalanischen Hochlands, das eingebettet im Gebirge liegt. Die Ockerfarbe der trockenen, lehmigen Landschaft, die ihn umgibt, macht sich sofort in Picassos Malerei bemerkbar. Er malt Kinder, Pferde und erstmalig den nackten Körper Fernandes. Aber die Erinnerung an die primitiven Skulpturen läßt ihn nicht los.

Wie Ingres nimmt Picasso Abstand von der Erscheinung, von der Anekdote, um eine glatte Malerei zu erreichen, die aller vom rein Bildnerischen ablenkenden Einzelheiten entledigt ist. Das ›bereinigte‹ Gesicht gleicht jetzt einer Maske. Kein Blick, keine Falten, keine besonderen Merkmale. Paradoxerweise wird dadurch die Expressivität beträchtlich gesteigert.

»Die Kunst ist eine Lüge, die es uns erlaubt, die Wahrheit zu erfassen.«

1

1 und 2.
Picasso erinnert sich an bestimmte Gemälde von Ingres, besonders an das *Türkische Bad,* das im Herbstsalon von 1905 ausgestellt war, aber auch an die im Louvre gezeigten iberischen Skulpturen des 6. und 7. vorchristlichen Jahrhunderts. Die Ocker- und Rosatöne, mit denen er seit mehreren Monaten arbeitet, behält er zwar bei, aber er tendiert jetzt zur Stilisierung seiner Figuren, deren Gesichtszüge er stark vereinfacht. Übrig bleiben Gesichter so glatt und geheimnisvoll wie Masken. In *La Coiffure* malt er erstmals Fernande als Akt.

1. *La Coiffure,* 1906
Öl auf Leinwand, 175 x 99,5 cm
Metropolitan Museum of Art (Sammlung Wolf),
New York

2. *La Toilette,* 1906
Öl auf Leinwand, 151 x 99 cm
Albright Knox Art Gallery, Buffalo

Max Jacob erzählt: »An einem Donnerstag abend waren wir bei Matisse am Quai Saint-Michel zum Essen eingeladen, Apollinaire, Picasso und ich. Da nahm Matisse von einem Möbel eine Statuette aus schwarzem Holz und zeigte sie Picasso. Das war die erste Negerskulptur. Picasso gab sie den ganzen Abend nicht aus der Hand.« Die Statuette bringt Picasso aus der Fassung, denn er war ja gerade aus Gósol mit der festen Überzeugung zurückgekehrt, daß man nicht mehr bestrebt sein soll, zu malen was man sieht, sondern was man fühlt – und wenn man dabei den Bildgegenstand deformieren muß, um zu seinem Wesen, seiner tiefen Wahrheit vorzustoßen.

Die schwarzen Künstler hatten das bereits verstanden: Die Formvereinfachung stellt eine neue Sprache bereit. Zwei Löcher für die Augen, ein Dreieck für die Nase, ein Rechteck für den Mund. Diese Geometrisierung ist eine Überhöhung der Wirklichkeit, durch die der Künstler seine von den Ahnen überlieferten, religiösen Ängste gleich Dämonen bannt.

Das Skizzenbuch in der Hand, besucht Picasso jetzt eifrig das Völkerkundemuseum des Trocadéro. Am nächsten fühlt er sich den Gegenständen aus Französisch-Kongo, der Region der Elfenbeinküste und aus Neukaledonien.

Sehr viel später hat er André Malraux von jenem Tag im Juli 1907 erzählt, an dem er zum ersten Mal das Museum besuchte: »Das Musée du Trocadéro war wirklich schauerlich. Wie ein Flohmarkt. Und dann der Geruch! Ich war ganz alleine. Eigentlich wollte ich gleich wieder gehen, aber ich blieb, ja, ich blieb. Ich hatte verstanden, daß dies alles sehr, sehr wichtig war: Irgend etwas pasierte mit mir. Die Masken, das waren keine Skulpturen wie andere. Ganz und gar nicht. Diese Masken hatten etwas mit Magie zu tun. (...) Die Masken, das waren Fürsprecher; ich kenne das französische Wort dafür seit jener Zeit. Sie wirkten gegen alles; gegen die unbekannten, drohenden Geister. Ich habe die Fetische immer wieder betrachtet (...). Sie waren Waffen. Waffen, die den Menschen halfen, nicht länger ungeschützt den Geistern ausgesetzt zu sein, unabhängig zu werden. (...) Die Geister, das Unbewußte, das Gefühl, das ist alles das gleiche. Ich begriff auf einmal, warum ich Maler war. (...) Die *Demoiselles d'Avignon* entstanden an diesem Tag, aber nicht aus formalen Gründen: Das war meine erste exorzistische Leinwand, nichts anderes!« Derain, der sich nun seinerseits für die afrikanische Kunst begeistert, bittet Vlaminck inständig, er möge ihm eine seiner Statuetten verkaufen. Er bekommt sie für zwanzig Francs. Jetzt sind alle bereit, sich in »jene Schlacht, die man Kubismus nennen sollte«, wie die Amerikanerin es ausdrückt, zu stürzen.

1.
Apollinaire und seine Freunde: Man erkennt Gertrude Stein, Fernande Olivier, Apollinaire, den Dichter Cremmitz und, sitzend, Marie Laurencin; im Hintergrund die von Apollinaire besungene Pont Mirabeau. Dieses Gemälde gehörte Apollinaire, der es in seinem Zimmer über dem Bett aufgehängt hatte.

Die Kunst der Schwarzen, diese »verständige Kunst«.

2.
Negerstatue aus Picassos persönlicher Sammlung.

---

1. *Apollinaire und seine Freunde*, 1909 (Marie Laurencin)
Musée National d'Art Moderne, Paris

2. *Skulptur* (Fragment), Neu-Guinea, Sepik-Becken
Holz, 45,5 x 20 x 17,5 cm
Musée Picasso, Paris

3. *Porträt Gertrude Stein*, 1906
Öl auf Leinwand, 100 x 81 cm
Metropolitan Museum of Art
(Nachlaß Gertrude Stein), New York

3.
»Picasso saß sehr angespannt auf seinem Stuhl, die Nase auf der Leinwand. Auf einer sehr kleinen Palette von einförmig braungrauer Farbe rührte er noch ein wenig mehr Braungrau an. Das war die erste von ungefähr neunzig Sitzungen ... Eines Tages wischte Picasso plötzlich den gesamten Kopf aus. ›Ich kann Sie nicht mehr sehen, wenn ich sie anschaue‹, sagte er mir gereizt. (...) Picasso reiste nach Spanien ab. Bei seiner Rückkehr malte er den Kopf, ohne mich noch einmal wiedergesehen zu haben, und gab mir dann das Bild. Ich war und bin immer noch zufrieden mit dem Porträt. Für mich bin ich das.«

2

Der Skandal um die *Demoiselles d'Avignon*

André Salmon vor den *Drei Frauen.*　　3

»*Ich möchte, daß Sie den unglaublichen Heldenmut eines Mannes wie Picasso spüren, dessen seelische Einsamkeit damals etwas Erschreckendes hatte, denn keiner seiner Malerfreunde war ihm gefolgt. Das Bild, das er malte, erschien allen als irrwitzig oder monströs.*

Braque, der Picasso durch Apollinaire kennengelernt hatte, erklärte, das komme ihm vor, als trinke einer Petroleum, um Feuer zu spucken, und mir selbst hat Derain gesagt, eines Tages werde man Picasso aufgeknüpft hinter seinem Bild finden, so hoffnungslos schien dieses Unternehmen.«

(Kahnweiler)

1. *Les Demoiselles d'Avignon*, 1907. Öl auf Leinwand, 243,9 x 233,7 cm. Museum of Modern Art, (Nachlaß Lillie P. Bliss), New York

2. *Skizze für die Demoiselles d'Avignon*, 1907 Aquarell auf Papier, 17 x 22 cm Museum of Art (Sammlung A. E. Gallatin), Philadelphia

Die *Demoiselles d'Avignon* und Kahnweiler

Wochenlang schon liegen Hunderte von Zeichnungen in Picassos Atelier auf dem Boden herum, und niemand hat das Recht zu sehen, woran er arbeitet. Als er endlich seinen Freunden die Türen öffnet, handelt er sich eine harte, einmütige Abfuhr ein: Braque, den ihm Apollinaire vor kurzem vorgestellt hat, macht seinen berühmten, von Kahnweiler überlieferten, launigen Scherz. Leo Stein, der doch als Mann von feinem Urteilsvermögen gilt, platzt heraus: »Wollten Sie die vierte Dimension malen?« Matisse ist außer sich, spricht von Mystifikation. Selbst Apollinaire ringt sich nur ein knappes »das ist eine Revolution« ab, als der ihn begleitende Kunstkritiker Fénéon erklärt, Picasso sei sehr begabt – für die Karikatur.

Nur Kahnweiler, ein junger Sammler (und in Zukunft ein sehr großer Kunsthändler), begreift die Genialität des Werkes, das noch keinen Namen trägt: Picasso dachte beim Malen an das Bordell in der Carrer d'Avinyo in Barcelona. Apollinaire schlug *Le Bordel d'Avignon* vor. Schließlich war es Salmon, der den endgültigen Titel durchfocht.

»*Les Demoiselles d'Avignon,* wie mir dieser Name auf die Nerven geht!«, fluchte Picasso. »Den hat Salmon erfunden. (...) Ursprünglich sollte da ein Student sein, der einen Schädel in der Hand hält, außerdem ein Seemann. Die Frauen waren beim Essen, daher der Obstkorb, der sich erhalten hat.«

Auf diesem riesigen, annähernd sechs Quadratmeter großen Gemälde macht Picasso Tabula rasa mit sämtlichen klassischen Schönheitsvorstellungen seit der Renaissance. Er zerstört, aber er baut auf seine Weise neu auf, um ein rein bildnerisches Werk zu verwirklichen: Stilisierung der natürlichen Formen, strikte Geometrisierung. Wir sind weit entfernt von Ingres mit schmachtender Sinnlichkeit durchtränktem *Türkischen Bad* oder Cézannes *Großen Badenden*.

Die Figuren zeigen einen dreifachen Einfluß: einen ägyptischen (der Körper der Frau links ist flachgedrückt), einen iberischen (die Nase der beiden mittleren Frauen steht im Profil, während ihr Gesicht von vorn erscheint) und einen schwarzafrikanischen (das Gesicht der Frau rechts erinnert an die Kongo-Masken aus dem Trocadéro).

Kahnweiler hat richtig gesehen. *Les Demoiselles d'Avignon* sind der Schlußstein der modernen Kunst und gleichzeitig der Ausgangspunkt für die kubistische Revolution.

Kahnweiler im Atelier am Boulevard de Clichy, um 1910.   1

2

2. *Porträt Kahnweiler,* 1907 (Kees van Dongen)
Öl auf Leinwand, 65 x 54 cm
Musée du Petit Palais, Genf

3. *Porträt Kahnweiler,* 1910
Öl auf Leinwand, 100,6 x 72,8 cm
Art Institute, Chikago

Die kubistische Revolution

Im Herbst 1908 lehnt die Jury des Herbstsalons zwei der sechs von Braque eingereichten Gemälde ab. Es handelt sich um sechs von seinem Aufenthalt in L'Estaque mitgebrachte Landschaften, in denen das ›natürliche Motiv‹ vereinfacht und geometrisiert wird. Braque ist außer sich, zieht alle seine Bilder zurück und überläßt sie Kahnweiler, der sich erbietet, die erste Ausstellung des Malers zu organisieren. Matisse ruft aus: »Aber das sind ja lauter kleine Kuben!« Während der Kunstkritiker Louis Vauxcelles im *Gil Blas* vom 14. November 1908 schreibt: »Monsieur Braque ist ein reichlich wagemutiger junger Mann.

Das irreleitende Beispiel Picassos und Derains hat ihn verwegen gemacht. Viel-

1.
In Braques *Häuser in L'Estaque* ist der Einfluß Cézannes auf die Untersuchungen, die er
– gefolgt von Derain –
gemeinsam mit Picasso durchführt, unverkennbar.

2 und 4.
In dieser *Landschaft mit zwei Figuren* (2) sind die Körper in die Landschaft, deren Linien sie fortführen, so gut eingepaßt, daß ein unaufmerksamer Beobachter sie zunächst übersehen könnte. Cézannes Bestreben entsprechend ist die Natur in Zylindern, Kegeln und Kugeln behandelt und das ganze in eine Perspektive gebracht. In *Brot und Obstschale auf einem Tisch* (4) ist sehr gut zu beobachten, wie die Objekte auf geometrische Formen zurückgeführt werden. Der von vorne gesehene Tisch läßt dennoch seine Oberseite erkennen, als betrachte man ihn aus der Vogelperspektive.

leicht ist er auch über Gebühr besessen von Cézannes Stil und seinen eigenen Erinnerungen an die statische Kunst der Ägypter. Er konstruiert metallische, unförmige Gestalten von schrecklicher Vereinfachung. Er verschmäht die Form; alles, Landschaften, Personen und Häuser, führt er auf geometrische Schemata, auf Kuben zurück.«

Picasso kommt von einem Kurzaufenthalt in La-Rue-des-Bois bei Creil zurück und entdeckt, wie sehr seine und Braques Arbeit auf eine Geometrisierung des Raumes hinstrebt, ganz von dem Gedanken Cézannes durchdrungen: »Die Malerei ist zuerst eine Optik. Der Stoff unserer Kunst liegt in dem, was unsere Augen denken.«

Das ist der Beginn einer starken Zuneigung, einer loyalen Freundschaft und einer einzigartigen Einhelligkeit in der Arbeit. Braque und Picasso malen Seite an Seite, ständig sich beratschlagend, kritisierend, ermutigend. In einem jedoch unterscheiden sie

1. *Häuser in L'Estaque*, 1908 (Braque)
Öl auf Leinwand, 73 x 59,5 cm
Kunstmuseum, Bern

2. *Landschaft mit zwei Figuren*, 1908
Öl auf Leinwand, 58 x 72 cm
Museé Picasso, Paris

3. *Das Reservoir von Horta del Ebro*, 1909
Öl auf Leinwand, 81 x 65 cm
Privatsammlung

4. *Brot und Obstschale auf einem Tisch*, 1909
Öl auf Leinwand, 164 x 132,5 cm
Kunstmuseum, Basel

3.
Das *Reservoir von Horta del Ebro* gehörte zur Privatsammlung Gertrude Steins. Die optische Wirkung, die hier erreicht wird, entspricht einer Anhäufung von Kristallen oder geschliffenen Splittern aus hartem Gestein.

sich: Picasso mit seiner Arbeitskraft verwirklicht in ein paar Stunden, was Braque erst nach mehreren Monaten, manchmal mehreren Jahren vollendet. Picasso sagt eines Tages zu André Malraux: »Braque übt seine Malerei

1

durch Überlegung aus. Ich brauche zu meiner Vorbereitung Dinge, Leute.«

Das ist der Grund, weshalb er alles hortet, was er in Mülleimern aufstöbert: Karton- und Kordelstücke, alte Nägel. Sein Atelier gleicht einer Schrotthandlung und einem Alträucherladen. Picasso wirft nichts weg. Einem Objekt, gleich welchem, läßt sich immer ein Geheimnis entlocken ...

Die Ausstellung Braques bei Kahnweiler und die Picassos bei Ambroise Vollard sind vom Publikum gut aufgenommen worden. Die beiden Maler sind von nun an die beiden Hauptakteure des Kubismus, dessen Entwicklung sie unablässig und mit äußerster Konsequenz vorantreiben.

Die beiden beginnen ihre Arbeit zunächst mit Stilleben unter der ›Cézanneschen‹ Optik eines neuen, aus der Einbildungskraft heraus gestalteten Raumes. Braque erläutert: »Sehr gereizt hat mich – und das war die Hauptrichtung des Kubismus – die Materialisierung des neuen Raums, den ich spürte. Damals fing ich vor allem mit Stilleben an, denn im Stilleben gibt es einen tastbaren, ich möchte fast sagen, handgreiflichen Raum (...). Und dieser Raum reizte mich sehr, weil gerade das die ursprüngliche kubistische Malerei war, die Untersuchung des Raums. Die Farbe spielte nur eine untergeordnete Rolle. Was uns an der Farbe beschäftigte, war nur der Gesichtspunkt des Lichts. Licht und Raum sind zwei Dinge, die sich berühren, und wir haben sie miteinander verknüpft.«

Picasso zieht um. Er läßt sich nun mit Fernande in einem großen Wohnatelier am Boulevard de Clichy 11 nieder. Mit dem Auszug aus dem Bateau-Lavoir läßt er die Not, von der wie immer die Boheme-Idylle überschattet war, endgültig hinter sich.

»Wenn der Kubismus sich gegenwärtig auch noch im Urzustand befindet, später wird eine neue Form des Kubismus entstehen.«

2

1.
Braque in Picassos Atelier, um 1909. »Wir wohnten am Montmartre, wir sahen uns alle, wir redeten ... Picasso und ich haben uns in diesen Jahren Dinge gesagt, wie sie sich niemand mehr sagen wird ... Es war so etwas wie eine Seilschaft am Berg.«

2.
Picasso im Jahre 1910, in seinem Atelier am Boulevard de Clichy.

3

4

3 und 4.
Ein großes Bankett zu Ehren des Zöllners Rousseau (4) wurde in Picassos Atelier organisiert. Apollinaire, Marie Laurencin, Gertrude Stein, Alice Toklas, Braque, Max Jacob und

viele andere, weniger bekannte Gäste feierten den alten Künstler, der damals zu Picasso sagte: »Wir sind die beiden größten Maler unserer Zeit. Du im ägyptischen, ich im modernen Genre.«

3. *Die Schlangenbeschwörerin*, 1907
(Henri Rousseau)
Öl auf Leinwand, 169 x 189,5 cm
Musée d'Orsay, Paris

5. *Porträt Fernande*, 1909
Öl auf Leinwand, 61,8 x 42,8 cm
Kunstsammlung Nordrhein-Westfalen, Düsseldorf

»Ich liebe Eva«

1911 verbringen Picasso und Fernande zum zweiten Mal den Sommer in Céret. Freunde haben dort gerade ein Kloster gekauft, das von Aprikosenbäumen und Weinstöcken umgeben ist. Trotz der Lieblichkeit des Fleckens treten zwischen dem Maler und seiner Gefährtin erste Spannungen auf. Picasso kehrt nach Paris zurück, wo der Salon des Indépendants seine Türen erstmals dem Kubismus öffnet. Hier sind Bilder von Delaunay zu sehen, von Duchamp, Léger, Picabia und Metzinger, einem jungen Maler mit der Sprache eines Theoretikers: »Für uns Kubisten sind Oberfläche, Volumen und Linien nichts als die Abstufungen des goldenen Schnitts.« Dieses »wir« ist weder nach Braques noch nach Picassos Geschmack: Die beiden beschließen, sich den ausstellenden Kubisten nicht anzuschließen. Braque äußert sich sehr deutlich: »Weder Picasso noch ich hatten etwas mit Gleizes, Metzinger und den anderen gemein. Diese haben aus den Kubismus ein System gemacht, sie fingen an zu dekretie-

1

Eva im Jahr 1911

»Man hat sich bemüht, den Kubismus durch Mathematik zu erklären, durch Geometrie, Psychoanalyse usw. Alles das ist nichts als Literatur. Der Kubismus verfolgt bildnerische Ziele, die sich selbst genügen.«

ren: Alles, was nicht so oder so ist, ist nicht kubistisch und so weiter. Sie haben sich Vorstellungen gemacht und sie an die Stelle der Malerei gesetzt (...) Sie haben ganz einfach Intellektualismus betrieben (...). Der einzige, der die kubistischen Recherchen erfolgreich mit Bewußtsein vorangetrieben hat, war meines Erachtens Juan Gris.« Dem fügt Picasso hinzu: »Als wir kubistisch arbeiteten, verfolgten wir dabei keineswegs die Absicht, den Kubismus hervorzubringen, sondern auszudrücken, was in uns war.«

Der Streit ist vom Zaun gebrochen. Jetzt wirft man Braque seine intellektuelle Leichtfertigkeit vor: Beruht denn der Kubismus nicht auf einem gewissen ideologischen Fundament? Braque zuckt mit den Achseln: »Wenn ich den Kubismus eine neue Ordnung genannt habe, dann geschah das ohne revolutionäre Ideen, ohne die Absicht, auf etwas reagieren zu wollen. Ich habe mir den Kubismus nie ›bewußt gemacht‹, ich war immer auf Entdeckungsgang.« Juan Gris bezieht eine abgewogenere Stellung: »Für mich ist der Kubismus kein Verfahren, sondern eine Ästhetik und sogar ein Geisteszustand.«

All das ärgert Picasso, zumal die Dichter sich in den Streit einmischen. Im Bemühen um Klarheit versucht Apollinaire eine Unterteilung des Kubismus in vier Tendenzen: wis-

3

1. Studie für *Sitzende Frau im Sessel*, 1913
Aquarell und schwarze Kreide auf Papier,
32 x 27 cm. Musée Picasso, Paris

3. *Stilleben mit Flasche*, 1911–1912 (Braque)
Öl auf Leinwand, 55 x 46 cm
Musée Picasso, Paris

4. *Frauenakt (Ich liebe Eva)*, 1912
Öl auf Leinwand, 75,5 x 66 cm
Museum of Art (Schenkung F. Howlad), Columbus

1.
Die Facetten der sogenannten analytischen Periode sind verschwunden. Es herrschen einfache Formen, eine architektonische Struktur. Es entstehen zahlreiche Studien, bevor sich Picasso an die Realisierung dieses Bildes macht. Paul Eluard beschreibt das Gemälde so: »Die enorme, skulpturale Masse dieser Frau in ihrem Sessel, der sphinxgroße Kopf, die an den Oberkörper genagelten Brüste, sie treten wundervoll hervor (...). Das Geicht mit den feinen Zügen, die gelockte Haartracht, die köstliche Achselhöhle, die duftige Bluse, der sanfte, bequeme Sessel ...«

3 und 4.
Die Bilder, die Picasso und Braque zusammen in Céret gemalt haben, treiben die Auflösung des Bildgegenstands und seine Fragmentierung in vielschichtige Facetten auf den Höhepunkt. Picassos *Nackte Frau* und Braques *Stilleben mit Flasche* sind, wie das *Porträt Kahnweiler* oder das *Porträt Vollard*, ein schönes Beispiel für den sogenannten analytischen Kubismus. In der Tat haben die Künstler daran gearbeitet, die reale Form in diese geometrischen Elemente zu zerlegen.

senschaftlich, physikalisch, optisch und instinktiv. Weit entfernt, die Gemüter zu beschwichtigen, bringt diese von den Betroffenen als willkürlich verworfene Klassifikation sie erst recht in Harnisch. »Apollinaire singt ein Loblied auf den Kubismus, ohne ihn richtig zu durchdringen«, meint Max Jacob.

Sehr viel später jedoch hat Picasso gegenüber André Malraux eingeräumt: »Apollinaire verstand nichts von Malerei, und doch liebte er wahre Malerei. Oft durchschauen Dichter etwas durch Intuition. In den Zeiten des Bateau-Lavoir durchschauten sie viel ...«

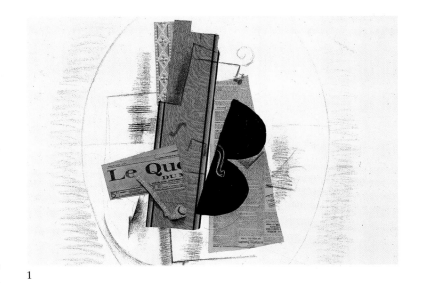

1

Auf einem Spaziergang mit Fernande begegnet Picasso einem jungen Maler aus seinem Bekanntenkreis, Markous (von Apollinaire in Markoussis umgetauft), in Begleitung einer hübschen Frau von blasser Hautfarbe. Sie heißt Eva Gouel. (In seinen Memoiren führt Sabartés sie unter dem Namen Marcelle Humbert, einem von ihr angenommenen Pseudonym. Daraus ist die irrige Legende entstanden, Picasso habe sie nach dem Namen der biblisch ersten Frau in Eva umgetauft.) Picasso verliebt sich in sie und zieht einen Schlußstrich unter die neun Jahre, die er gemeinsam mit Fernande verlebt hat. Er und seine neue Gefährtin verbergen ihre Liebe in einem hübschen Dorfe bei Avignon, Sorgues-sur-Ouvèze. Nebenan haben Braque und seine Frau ein Haus gemietet. Picasso ist glücklich. Er schreibt an Kahnweiler: »Ich liebe Eva sehr. Ich werde es in meine Bilder schreiben.« Es beginnt nun eine äußerst fruchtbare Periode für den Maler, der noch immer dieselbe brüderliche Zusammenarbeit mit Braque pflegt. Und zwar in solchem Maße und so gut, daß die beiden eines Tages beschließen, ihre Bilder nicht mehr zu signieren, damit diese dem einen so gut wie dem anderen zugeschrieben werden können. Der Einfall stammt von Braque: »Ich fand, daß die Person des Malers unbeteiligt zu sein hatte und folglich die Gemälde anonym sein sollten. Ich war es, der beschloß, daß man die Bilder eine Zeitlang nicht signieren sollte. Picasso hielt es genauso. Sobald einer das gleiche machen konnte wie ich, dachte ich, gab es keinen Unterschied zwischen den Gemälden ...« Aber in diesem Sommer 1912 finden die beiden Weggenossen ihren Spaß an weiteren Spielen. Braque, der bereits im Vorjahr Buchstaben in seine Gemälde eingeführt hatte, klebt erstmalig Tapetenstreifen mit Holzmuster auf eine Kohlezeichnung. Diese neue Technik verlockt Picasso auf der Stelle. Eine Rückkehr zu einfacheren Formen findet statt, zu Materialeffekten und zur Farbe, die mit den letzten Gemälden des *analytischen* Kubismus von der Leinwand verschwunden waren.

2

»Mein lieber Freund Braque, ich benutze jetzt Deine neuesten papieristischen (sic) und staubigen Verfahren ...«

1. *Geige und Pfeife,* 1913–1914 (Georges Braque)
Kohle, Tapete, ausgeschnittene und auf Papier geklebte Zeitung, aufgezogen auf Karton
Musée National d'Art Moderne, Paris

2. *Flasche, Glas und Geige,* 1912–1913
Collage, 47 x 62 cm
Statens Konstmuseet, Stockholm

3. *Geige und Notenblatt,* 1912
Buntpapier und Musikpartitur auf Karton,
78 x 63,5 cm
Musée Picasso, Paris

1 bis 3.
Die Technik des papier collé besteht darin, alle Arten von Papier – Tapeten, Notenblätter, Papier mit Holzmaserung oder Marmorstruktur, Etiketten – auf ein Blatt, das dem Ganzen als Untergrund dient, zu kleben oder zu heften. Der Zuschnitt des Papiers kann die Form eines Objekts wiedergeben (die Flasche in *Flasche, Glas und Geige*) oder sich in die Struktur des Werkes einfügen (die Partitur in *Geige und Notenblatt*). Braque war der erste, der ein ›reales Objekt‹ in seine Stilleben einfügte (es handelte sich um einen ›Nagel‹) und Schablonenbuchstaben benutzte.

Aber Picasso wagt mehr als Braque, denn benutzt dieser auf seiner Leinwand die Materialien als das, was sie sind, so verwendet Picasso sie, um eine veränderte Objektdarstellung anzudeuten: »Ich habe oft Zeitungsausschnitte in meinen Papiers collés benutzt, aber nicht, um daraus eine Zeitung zu machen.«

Er erfindet eine neue Art, die Wirklichkeit darzustellen, spielt mit den Effekten des Materials und seinen Texturen und erschafft einen neuen, aus übereinandergeschichteten Ebenen geformten Bildraum.

»Wenn man eine Zeitung malt, die jemand in den Händen hält, muß man sich dann bemühen, die Worte *Petit Journal* zu reproduzieren, oder kann man das Unternehmen

1

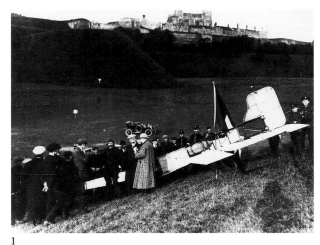

2

3

1 bis 3.
Am 25. Juli 1909, um 4 Uhr 35, landet Blériot sein Flugzeug in Dover. In der Nacht vom 14. April 1912 sinkt die *Titanic.* Das technologische Epos des neuen Jahrhunderts inspiriert in Italien die Futuristen und in Frankreich Delaunay, der Stellung gegen den Kubismus bezieht. Er vertritt die ›objektive Kunst‹: Nur deren Realismus könne unter Zuhilfenahme der reinen Farbe die Erfahrungen der künftigen Technik- und Industriegesellschaft ausdrücken, dem Automobil oder der Luftfahrt gerecht werden. Die *Hommage an Blériot* ist aus leuchtenden, konzentrischen Kreisen aufgebaut. Oben erkennt man die *Blériot XI,* links die Räder und den Propeller sowie Mechaniker bei der Arbeit. Oben rechts der Doppeldecker der Brüder Wright.

»Wir haben versucht, das ›Trompe-l'œil‹ loszuwerden, um das ›Trompe-esprit‹ zu finden.«

dahingehend verkürzen, daß man die Zeitung säuberlich auf die Leinwand klebt?« Auf diese Frage, die ihm damals Braque gestellt hat, antwortet Picasso mit so unterschiedlichen Kompositionen wie *Geige und Früchte, Die Bass-Flasche* oder *Flasche, Glas und Geige.* Dieses Verfahren gewährt seinem Anwender absolute Freiheit. Denn man kann es sich aussuchen, ob man ein gegebenes Material als Trompe-l'œil malt oder ob man es wirklich einklebt. 1912 realisiert Picasso eine der berühmtesten Kompositionen dieser Periode: *Stilleben mit Rohrstuhl.* Zur Bezeichnung des Stuhls fügt er ein Stück Wachstuch in sein Gemälde ein. Das Neue an dieser Technik besteht darin, daß die Dualität zwischen Kunst (Darstellung des Objekts) und Realität (das Objekt selbst) suggeriert, aber sofort überwunden wird, denn das Wachstuch ist nicht direkt der Stuhl, sondern ein Trompe-l'œil des Rohrgeflechts! Picasso führt damit Materialien ein, die weniger edel sind als Papier oder Holz. Er wird noch viel weiter gehen und Pappe, Kordel und zerrissene Etiketten von Likörflaschen benutzen. »Wir waren bestrebt, die Realität mit Materialien auszudrücken, mit denen wir nicht umzuge-

4

4.
Malewitsch, 1878 in Kiew geboren, ist ein junger russischer Künstler, der sich um 1909 einen von Fernand Léger beeinflußten Kubismus zu eigen macht. Er gründet eine ›Suprematismus‹ genannte Bewegung, durch die er »die Knoten der Vernunft lösen und das Bewußtsein der Farben befreien« will.

2. *Hommage an Blériot,* 1914 (Robert Delaunay) Öl auf Leinwand, 250 x 250 cm Kunstmuseum, Basel

4. *Ein Engländer in Moskau,* 1914 (Kasimir Malewitsch). Öl auf Leinwand, 88 x 57 cm Stedelijk Museum, Amsterdam

5. *Geige und Früchte,* 1913 Collage, 64 x 49,5 cm. Museum of Art, Philadelphia

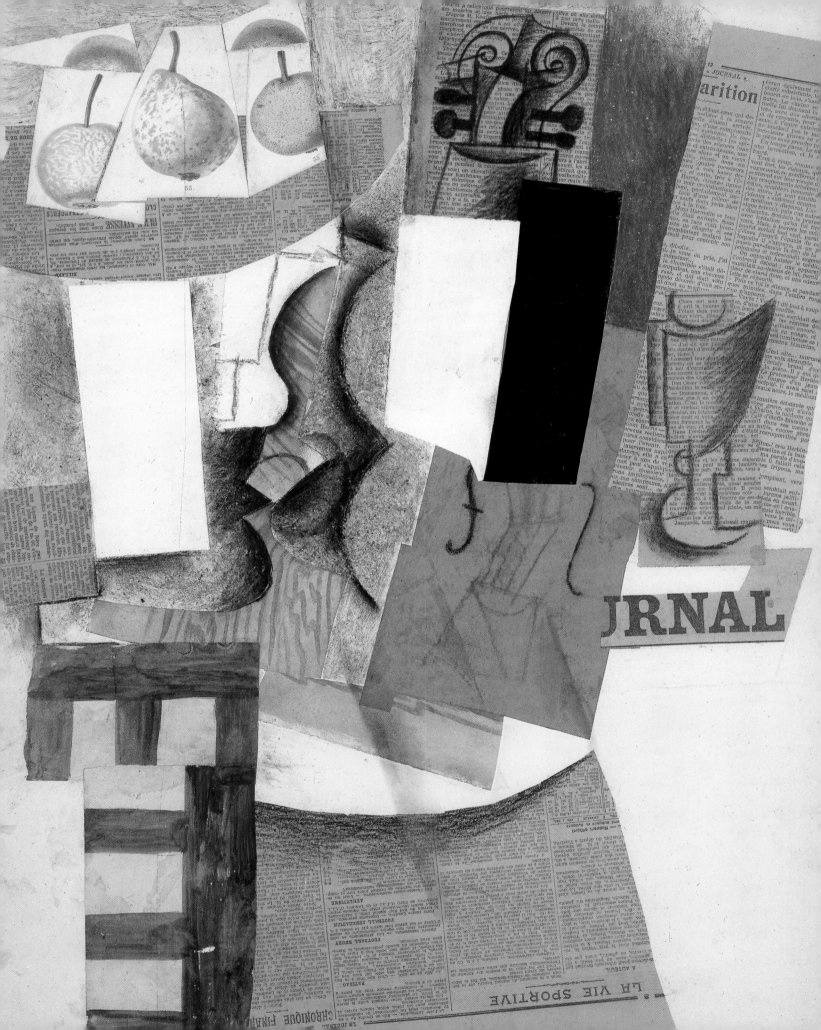

hen wußten und die wir gerade deshalb schätzten, weil wir wußten, daß uns ihre Mitwirkung nicht unentbehrlich war und daß sie weder die besten noch die bestgeeigneten waren«, erklärt er Sabartés. Die Virtuosität dieses Malers ist unumschränkt: Er amüsiert sich mit neuen Entdeckungen, findet, sobald er sucht, überwindet das Stadium des Trompel'œil, um zum subtileren Stadium des ›Trompe-esprit‹ vorzudringen.

Am 1. August 1914 bricht der Krieg zwischen Deutschland und Frankreich aus. Derain und Braque erhalten ihren Gestellungsbefehl in Sorgues, wo sie mit ihren Ehefrauen die Sommerferien verbringen. Es herrscht Betroffenheit. Niemand ist auf diesen Krieg eingestellt.

Picasso begleitet seine beiden Freunde zum Bahnhof von Avignon und kehrt zurück nach Paris in die Wohnung an der Rue Schoelcher, wo er sich mit Eva im vergange-

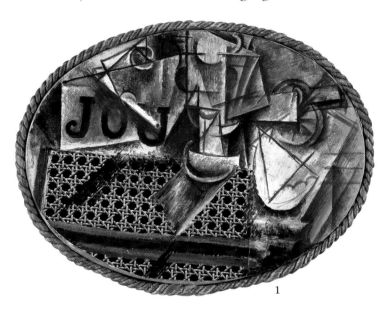

1

nen Herbst niedergelassen hat. Mit Ausnahme von Max Jacob, Matisse und Juan Gris sieht Picasso alle an die Front ziehen, die sich für die Malerei geschlagen – oder sie zerschlagen – hatten. Picasso ist fassungslos. Der Kubismus wird auf dem Höhepunkt seines Ruhms vom Krieg niedergemäht und sollte sich künftig nicht wieder davon erholen. Die Einsamkeit lastet um so mehr auf Picasso, als Eva krank ist. Schwierig, 1915 ein Krankenhausbett ausfindig zu machen. Unterdessen gelingt es ihm, Eva in einer Klinik in Auteuil unterzubringen. Nun beginnen schwere Stunden: »Mein Leben ist eine Hölle. Eva ist die ganze Zeit krank gewesen, und das mit jedem Tag mehr, und jetzt ist sie seit einem Monat in einem Sanatorium. Ich arbeite fast nicht mehr. Ich laufe zum Sanatorium und verbringe die Hälfte der Zeit in der Metro.«

Aber die Tuberkulose überwältigt die junge Frau, die am 14. Dezember stirbt. Am 8. Januar schreibt Picasso an Gertrude Stein: »Meine arme Eva ist tot (...). Das ist für mich ein großes Leid gewesen, und ich weiß, Sie werden sie vermissen.«

»Wären wir nicht mit Picasso zusammengetroffen, wäre der Kubismus dann das gewesen, was er ist? Ich glaube nicht.« (Georges Braque)

1.
Das *Stilleben mit Rohrstuhl* ist Picassos erste, 1912 realisierte Collage. Auf dem Bistro-Tisch ein Glas, umgeben von einer Zeitung, einer Pfeife, einer Zitronenscheibe, einem Messer und einer Jakobsmuschel, dem damals üblichen Repertoire kubistischer Stilleben, einem Inventar des Alltagslebens. Auf dem Tisch, den eine echte, zugleich als Rahmen des Werkes dienende Kordel umgibt, erscheint ein Stück Wachstuch, das das Rohrgeflecht eines Stuhls imitiert. Das hier verwendete ovale Format erlangt eine neue Bedeutung: Es sperrt das Werk in eine geschlossene, abgegrenzte Welt ein. Die Ecken bleiben leer, die ganze Kraft des Gemäldes ist auf seine Mitte konzentriert.

2

2.
Diese *Ovale Komposition* von Piet Mondrian stammt aus dem Jahre 1914. Der Künstler, der 1914 durch eine Ausstellung im Modern Kunstring von Amsterdam auf den Kubismus gestoßen war, arbeitet nun an einer extrem gereinigten Ästhetik, die er Neoplastizismus nennt. 1917 gründet er die Zeitschrift *De Stijl*, das Sprachrohr der neoplastizistischen Bewegung, zu deren Mitglieder die Maler van Doesburg und der Architekt J. J. P. Oud zählen.

1. *Stilleben mit Rohrstuhl*, 1912
Öl und Wachstuch auf ovaler Leinwand,
mit Kordel gerahmt, 27 x 35 cm
Musée Picasso, Paris

2. *Ovale Komposition*, 1914 (Piet Mondrian)
Öl auf Leinwand, 113 x 84 cm
Stedelijk Museum, Amsterdam

3. *Geige*, 1912
Verschiedene Buntpapiere
Puschkin-Museum, Moskau

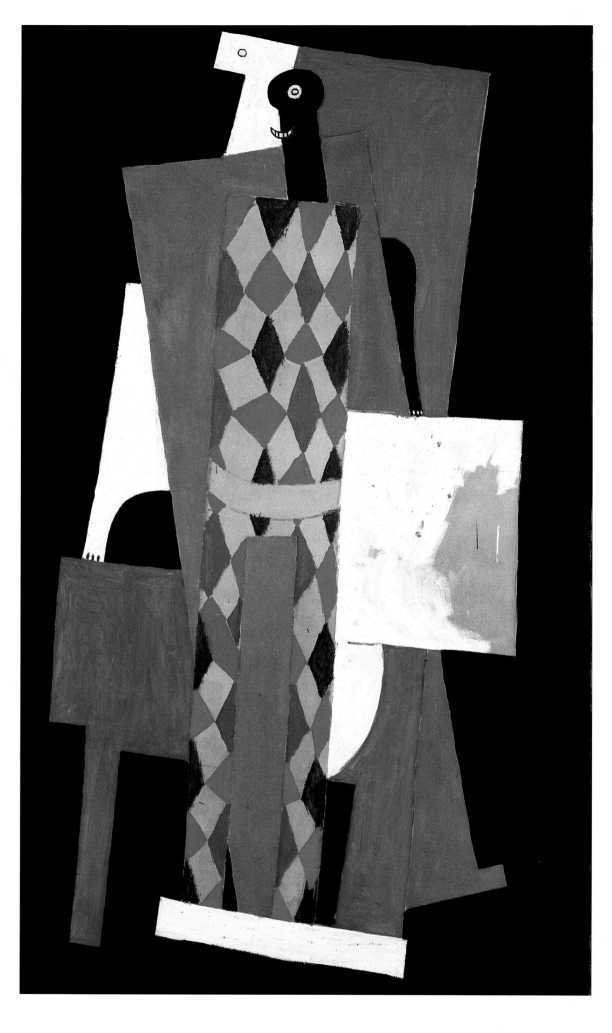

1 und 2.
Ein Jahr später als der *Kartenspieler* von 1914 entsteht der *Harlekin*. Seine Haltung bestimmt die Komposition der großformatigen Leinwand mit und vermittelt eine Wirkung monumentaler Starre. Die simultane Darstellung der Zentralfigur von vier Seiten und die zahlreichen Farbflächen, auf denen seine steife Gestalt erscheint, sind bezeichnend für den synthetischen Kubismus, zu dem Picasso gelangen wird.

1. *Harlekin*, 1915
Öl auf Leinwand, 183,5 x 105,1 cm
Museum of Modern Art (Nachlaß L.P. Bliss),
New York

2. *Der Kartenspieler*, 1913–1914
Öl auf Leinwand, 108 x 89,5 cm
Museum of Modern Art (Nachlaß L.P. Bliss),
New York

Parade

Eines Tages im Jahr 1916 kommt ein junger, vom Militär beurlaubter Dichter bei Picasso zu Besuch. Unter seinem Regenmantel trägt er ein Harlekinkostüm. Er heißt Jean Cocteau, und er weiß, daß Picasso seit jeher dem Thema der Komödianten verbunden ist. Cocteau bittet also Picasso, Kostüme und Bühnenbild für ein Ballett zu entwerfen, bei dem Erik Satie für die musikalische Partitur, Jean Cocteau für die Handlungen und Diaghilew für Choreographie und Inszenierung verantwortlich zeichnen. Der Leiter der ›Ballets russes‹, der seine Truppe aus Rußland mitgebracht hat, konnte bereits mit dem *Feuervogel* und der *Petruschka* Strawinskys sowie Tschaikowskys *Schwanensee* schöne Erfolge verbuchen.

Die Handlung, die Cocteau Picasso vorschlägt, sieht eine Zirkusparde vor einer Jahrmarktsbude vor, das ganze an einem Boulevard von Paris. Ein Akrobat, ein chinesischer Zauberer und ein amerikanisches Mädchen versuchen, mit ihren Nummern das Publikum anzulocken.

Picasso hört aufmerksam zu. Aber zuerst muß er aus der Wohnung in der Rue Schoelcher heraus, wo die Erinnerung an Eva zu schmerzlich ist. Er zieht in ein kleines Haus in Montrouge, zwanzig Minuten zu Fuß vom Montparnasse. Am 24. August sagt Picasso zu, trifft einen enthusiastischen Diaghilew an und macht sich an die Arbeit.

Sehr schnell erfindet er neue Personen, drei riesige *Manager,* alle in kubistische Kon-

1. *Parade,* Nicolas Zuerco in der Rolle des Akrobaten, 1917
Musée Picasso, Paris

2. *Kostüm des Akrobaten,* 1917
Aquarell und Bleistift, 28 x 20,5 cm
Musée Picasso, Paris

3. *Studie für das Kostüm des amerikanischen Mädchens,* 1917
Bleistift, 27,7 x 20,5 cm
Musée Picasso, Paris

4. *Parade,* die Chabelska in der Rolle des amerikanischen Mädchens, 1917
Musée Picasso, Paris

5. Olga, Picasso und Cocteau in Rom, 1917
Musée Picasso, Paris

6. *Der französische Manager,* 1917
Zeichnung
Musée Picasso, Paris

7. *Der Negermanager,* 1917
Zeichnung
Musée Picasso, Paris

8. Picasso mit Helfern bei der Ausführung von *Parade,* 1917
Musée Picasso, Paris

6.
Zeichnung des *Französischen Managers* mit Zylinder und Handprothese,
die einen Spazierstock
hält.

7.
Zeichnung des *Negermanagers*, der ein Pferd aus
Tuch und Holz reitet, das
von zwei im Innern verborgenen Tänzern bewegt
wird.

struktionen gekleidet, die durch ihre groteske Aufmachung und Tapsigkeit das Publikum zum Lachen bringen sollen. Satie ist über diese Abwandlung von Cocteaus ursprünglichem Projekt entzückt und gleichzeitig dadurch beunruhigt. Weshalb er an Valentine Hugo schreibt: »Wenn Sie wüßten, wie traurig ich bin! *Parade* verwandelt sich hinter Cocteaus Rücken zum Besseren! Picasso hat Einfälle, die mir besser gefallen als die unseres Jean. Was für ein Unglück! Und ich bin für Picasso! Und Cocteau weiß es nicht! Was tun? Picasso schlägt mir vor, nach Jeans Text zu arbeiten, und er, Picasso, wird nach einem anderen Text arbeiten, dem seinen … und der ist überwältigend! Wundervoll! Ich werde irrsinnig und traurig!«

Aber Satie macht sich unnötige Sorgen. Cocteau entdeckt Picassos Neuerungen und stimmt ihnen freudig zu. Das in kubistischer

Olga oder die Rückkehr zur Ordnung

1

1.
Drei Tänzerinnen aus Diaghilews ›Ballets russes‹. Links Olga.

Art behandelte Bühnenbild stellt eine Jahrmarktsbude zwischen lauter Wolkenkratzern dar. Auf den zehn Meter hohen und siebzehn Meter breiten Vorhang malt Picasso eine Szene aus dem Leben der fahrenden Leute, auf der man Harlekin, Columbine, eine Kunstreiterin auf einer geflügelten Stute erkennt. Wie der Kunsthistoriker Douglas Cooper sagt: »Sanft ließ Picasso die Zirkusleute in einer Traumstimmung erscheinen, bevor er sie ein paar Minuten später in *reales* Erleben tauchte, als der Vorhang sich hob und einen der Managerkolosse enthüllte, der die Parade verkündete und über die Bühne stampfte.«

Am 17. Februar begleitet Picasso Cocteau nach Rom, wo er mit dem Tänzer und Choreographen Massine am Bau des Bühnenbildes arbeitet. Er schreibt an Gertrude Stein: »Ich habe sechzig Tänzerinnen. Ich gehe sehr spät schlafen. Ich kenne alle Damen Roms. Ich habe viele pompejanische Phantasien gemacht, die ein bißchen flüchtig sind, und ich habe Karikaturen von Diaghilew, Bakst und den Tänzerinnen.«

2

2.
Olga im Atelier von Montrouge nach einer Fotografie Picassos.

3.
Mit diesem Porträt – Olga hatte »Ähnlichkeit« verlangt, denn sie wollte sich unbedingt »wiedererkennen« – kehrt Picasso zur klassischen Malerei in der Nachfolge von Ingres großen Porträts zurück. Die nachlässige Pose ist präzis gezeichnet, die Volumen wurden auf traditionelle Weise schattiert. Dennoch hat sich Picasso über das Gebot der räumlichen Tiefe hinweggesetzt. Sie fehlt so sehr, daß Olga nicht im Sessel zu sitzen, sondern ihm vielmehr vorgelagert scheint. Ebenso ist das Muster des Sessels wie eine Tapete behandelt.

3. *Porträt Olga im Sessel*, 1917
Öl auf Leinwand, 130 x 88,8 cm
Musée Picasso, Paris

Vor allem von den Tänzerinnen. Denn Picasso schreibt nicht, daß er gerade dabei ist, sein Herz an eine von ihnen zu verlieren, an Olga Koklowa.

Endlich drängt sich am 18. Mai das Pariser Publikum im Théâtre du Châtelet, um bei der Uraufführung von *Parade* dabeizusein. Der Vorhang hebt sich – und im Saal bricht der Tumult los. Das Publikum, das dem Kubismus und seinen Extravaganzen in diesen Kriegszeiten, wo die Devise ›Entsagung‹ lautet, feindlich gesonnen ist, tobt beim Anblick der drei Meter großen Manager, unter denen sich die Tänzer verbergen.

Man brüllt, Schimpfkanonaden brechen los: »Nach Berlin! Drückeberger! Dreckige Boches!«

1

2

Cocteau hat später bekannt: »Ohne Apollinaire mit seiner Uniform, seinem kahlrasierten Schädel, der von einer Narbe gezeichneten Schläfe und dem um den Kopf gewickelten Verband hätten uns mit Haarnadeln bewaffnete Frauen die Augen ausgestochen.«

Bald zieht die Kompanie von Paris nach Spanien. Picasso stellt seiner Mutter die Frau vor, die er heiraten möchte. Als die ›Ballets russes‹ Barcelona verlassen, um auf Südamerika-Tournee zu gehen, trennt Olga sich von der Truppe, um bei Pablo zu bleiben, mit dem sie nach Paris zurückkehrt.

Am 12. Juli 1918 heiraten Picasso und Olga. Die Frischvermählten beziehen gleich eine elegante Pariser Zwei-Etagen-Wohnung in der Rue de la Boëtie. Picasso ändert endgültig seine Lebensweise. Der Boheme, den Mahlzeiten im Freundeskreis am Rande eines von eingetrockneter Farbe völlig bekleckerten Tisches, den bequemen, verschlissenen alten Kleidern sagt er Lebwohl.

Picasso kleidet sich jetzt wie ein Dandy, mit dreiteiligem Anzug, Krawattennadel, Spazierstock. Er lebt in einer Wohnung, die seine Frau so bürgerlich wie möglich ausstaffiert, und Empfänge folgen auf Empfänge. »Picasso verkehrt in den feinen Quartiers!«, sagen seine Freunde. Sie sieht er nun weniger häufig. Denn Braque, Apollinaire und viele andere sind zerschlagen, an Leib und Seele schwer verwundet, aus dem Krieg heimgekehrt.

3

1.
Der Strand bei Biarritz, wo sich Picasso aufhielt, als er seine *Badenden* malte.

2.
Malewitsch, immer anspruchsvoller in seiner metaphysischen Suche, bestimmt die Kunst als Abstraktion.

3.
Die Gare du Nord, gezeichnet von Steinlen, mit aufbrechenden oder verwundet zu ihren Familien zurückkehrenden Frontsoldaten. Zur selben Zeit setzten Picasso, Cocteau und Diaghilew das Projekt für das Ballett *Parade* um.

4.
In diesem Bild, das Picasso im Sommer 1918 unmittelbar nach der Hochzeit mit Olga in Biarritz malte, amüsiert er sich damit, mehrere Bildverweise auf seine persönliche Art zu koppeln: Anspielungen auf Seurats Ansichten von Port-en-Bessin (Leuchtturm, Mole und horizontale Behandlung von Meer und Himmel), auf die Werke des Zöllners Rousseau (leuchtende, leicht giftige Farben und peinliche Genauigkeit der Details) sowie auf Botticellis *Geburt der Venus*. Der augenfälligste Verweis aber gilt natürlich Ingres' *Türkischem Bad*.

2. *Weißes Quadrat auf weißem Grund,* 1918 (Kasimir Malewitsch)
Öl auf Leinwand, 79,4 x 79,4 cm
Museum of Modern Art, New York

3. *Im Bahnhof,* 1916 (Steinlen)
Lithographie

4. *Die Badenden,* 1918
Öl auf Leinwand, 27 x 22 cm
Musée Picasso, Paris

1. *Porträt Igor Strawinsky,* 1920
Bleistift und Kohle, 61,5 x 48,2 cm
Musée Picasso, Paris

2. *Porträt Pierre Reverdy,* 1921
Bleistift, 16,5 x 10,5 cm
Musée Picasso, Paris

3. *Porträt Erik Satie,* 1920
Bleistift und Kohle, 62 x 47,7 cm
Musée Picasso, Paris

4. *Porträt Olga,* 1920
Bleistift und Kohle, 61 x 48,5 cm
Musée Picasso, Paris

Folgende Seiten:
1. *Das Atelier des Künstlers in der Rue de la Boëtie,*
1922
Bleistift und Kohle
Musée Picasso, Paris

2. *Olgas Salon (Cocteau, Olga, Erik Satie,
Clive Bell),* 1921
Bleistift und Papier
Musée Picasso, Paris

3. *Olga am Klavier,* 1921
Bleistift und Kohle,
Musée Picasso, Paris

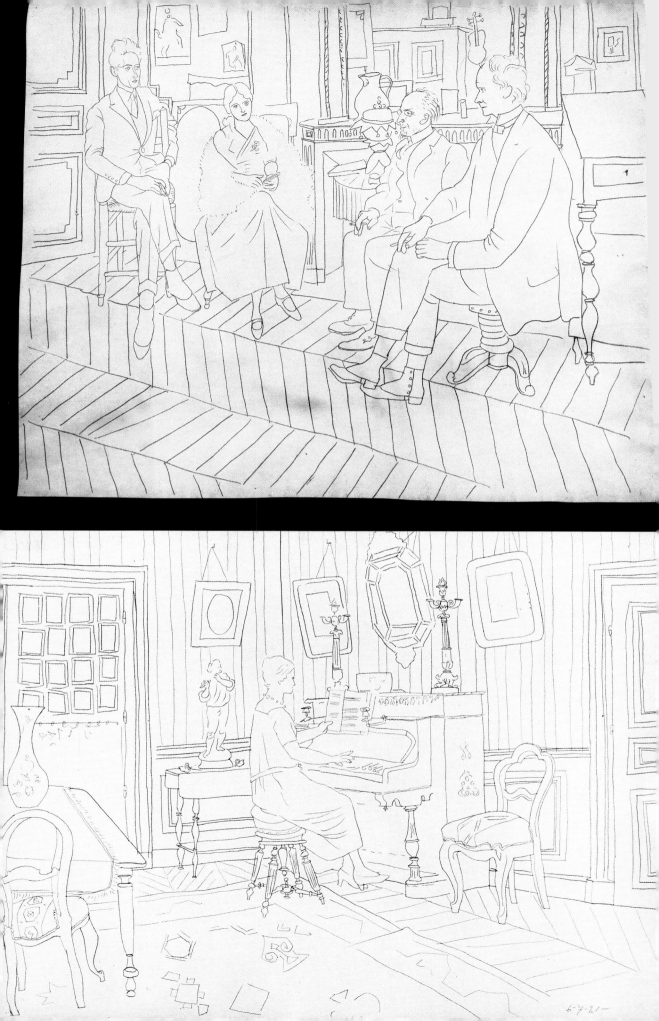

6-7-21

Der Neoklassizismus

2.
»Das rätselhafteste Gemälde von allen, *Die Brieflektüre* – es steht zwischen Courbetschem Realismus, was die Wiedergabe der Anzüge anlangt, und einem michelangelohaften Charakter der Volumen – ist ein Schlüsselwerk, bei dem es sich nur um die vage Beschwörung einer Freundschaft

1

3.
Die zwei italienischen Anarchisten Sacco und Vanzetti wurden verdächtigt, im Jahre 1920 den Kassierer und den Wächter der South and Braintree Company ermordet zu haben. Noch im selben Jahr wurden sie zum Tode verurteilt und, trotz ihrer Unschuldsbeteuerungen und zahlreicher Solidaritätskundgebungen in ganz Europa, 1927 hingerichtet.

handeln kann. Wird auf die Freundschaft mit dem Dichter Apollinaire oder die mit dem Maler des kubistischen Abenteuers, Braque, angespielt? Die Melone im Vordergrund verweist auf die Porträts von Apollinaire und Braque; Bücher und Text sind Attribute des Dichters und Schriftstellers.« (Dominique Bozo)

Demonstration für Sacco und Vanzetti in Paris

2

3

1. *Frau mit malvenfarbenem Kleid und Falbel,* 1923
Musée Picasso, Paris

2. *Die Brieflektüre,* 1921
Öl auf Leinwand, 18,4 x 10,5 cm
Musée Picasso, Paris

4. *Stilleben mit Krug und Äpfeln,* 1919
Öl auf Leinwand, 65 x 43,5 cm
Musée Picasso, Paris

4.
Dieses Stilleben von 1919 wurde erst nach Picassos Tod entdeckt. Unverkennbar ist die cézannesche Inspiration des Werkes, gemalt zu einem Zeitpunkt, als der Künstler von seinen kubistischen Arbeiten Abstand gewinnen wollte.

Ein Meisterwerk des synthetischen Kubismus

Der Krieg ging zu Ende und damit auch Picassos schöne Jugendzeit. Nichts sollte je wieder so sein wie zuvor. Apollinaire starb, während unter seinem Fenster die Menge brüllte: »Nieder mit Guillaume! Nieder mit Guillaume!« Gemeint war natürlich der deutsche Kaiser Wilhelm. Der Dichter erholte sich gerade von seiner Kopfwunde, als ihn zwei Tage vor dem Waffenstillstand die spanische Grippe dahinraffte.

Picasso steht allein da. Eben noch hatte er auf Unterstützung und Freundschaft des gescheiten Kahnweiler verzichten müssen. Der Händler, deutscher Staatsbürger, hatte sich dem Ruf seines Landes verweigert, hatte es aber auch ausgeschlagen, sich unter französischer Fahne bei der Fremdenlegion zu verpflichten. Da nun Kahnweiler nach Bern abgereist und seine Habe beschlagnahmt war, sucht Picasso sich einen neuen Händler: Paul Rosenberg. Er ist ängstlicher als sein Vorgänger. Er fürchtet den Ruch des Skandals, der den kubistischen Bildern der Vorkriegszeit anhaftet, und legt Picasso eine vorsichtigere, realistischere, allgemeinverständliche Malweise ans Herz.

Solche Gemälde neuen Charakters stellt Picasso nun in der Galerie des Faubourg Saint-Honoré aus: antike Göttinnen mit schwerfälligen Gebärden, mächtige Stilleben. Manche Kunstliebhaber beschuldigen Picasso, er habe den Kubismus verraten, habe seinen Stil aus Opportunismus geändert. Picasso zuckt die Achseln, mokiert sich über die Kritiker: »Der Stil! … Hat denn Gott einen Stil?«

Im Februar 1921 bringt Olga Picassos erstes Kind, Paulo, zur Welt. Picasso mietet eine große, stattliche Villa in Fontainebleau, wo er seine Familie unterbringt. Dort malt er das Meisterwerk des synthetischen Kubismus, das den ganzen Ertrag seiner jahrelangen Untersuchungen zu Kubismus und Theater in sich birgt: *Die drei Musikanten.* Das Bild, von dem es zwei Fassungen gibt, greift auf drei Figuren aus der Commedia dell'Arte zurück. Pierrot spielt Klarinette, Harlekin Geige, und Capucino, der Mönch, scheint ein Akkordeon auf den Knien zu halten. Die Bildsprache ist vereinfacht, zurückgeführt auf das Wesentliche. Picasso erinnert sich an die Kostüme aus *Parade,* deren geometrische Formen die Körper der Tänzer konterkarierten. Aber die Frische der aus Primärfarben aufgebauten Palette, die Schlichtheit der bunten Flächen machen die *Drei Musikanten* zu einem allgemeinverständlichen Meisterwerk.

1.
Noch ist die kinematographische Kunst stumm. Aber 1925 schafft S. M. Eisenstein eines ihrer schönsten Meisterwerke: *Panzerkreuzer Potemkin*

2.
1923 erscheint auf der Leinwand das ernste, unergründliche Gesicht einer ganz jungen Frau. Seither nennt Greta Gustavson sich Greta Garbo.

3. *Die drei Musikanten,* 1921
Öl auf Leinwand, 200,7 x 222,9 cm
Museum of Modern Art (Mrs. Simon Guggenheim-Stiftung), New York

4. *Die drei Musikanten (Musikanten mit Maske),* 1921. Öl auf Leinwand, 203,2 x 188 cm
Museum of Art (Sammlung Galatin), Philadelphia

4.
Sie sind das Meisterwerk des synthetischen Kubismus und gleichzeitig ein Abschied für immer: *Die drei Musikanten* (bzw. *Musikanten mit Maske)* gibt es in zwei Versionen; beide stellen dieselben Figuren aus der Commedia dell'Arte vor: Pierrot, Harlekin und Capucino (vielleicht eine Anspielung auf Max Jacob, der sich in sein Kloster zurückgezogen hat?). Eine Fassung befindet sich in New York (3), die andere in Philadelphia (4).

»Als ich klein war, hatte ich oft einen Traum, der mich sehr erschreckte. Meine Arme und Beine waren plötzlich riesengroß, dann begannen sie zu schrumpfen und wurden winzig klein. Ringsherum machten andere Personen die gleichen Verwandlungen durch, wurden gigantisch oder klein. Dieser Traum verursachte mir immer entsetzliche Ängste.«

Der visuelle Schock der *Laufenden Frauen am Strand* rührt daher, daß das Gewicht dieser Riesinnen weder Leichtigkeit noch Anmut ihres Laufes hemmt. Die Körper sind breit und robust, die Glieder schwer und wuchtig. Und doch scheinen diese Frauen in der Luft zu tanzen, leicht wie zwei Ballerinen.

Dieser Eindruck von Beweglichkeit wird durch verschiedene formale Mittel erreicht: Haare und Kleider flattern im Wind, die Frau links reißt den Kopf in die Höhe, als wolle sie davonfliegen, mit einer Bewegung des Kopfes, die an die Stellung der Göttin Thetis in Ingres' Gemälde *Jupiter und Thetis* erinnert, während die Frau rechts, das Bein nach hinten geschwungen, einen überdimensionalen Arm zum Horizont ausstreckt. Dadurch wird der Eindruck von Geschwindigkeit erzeugt.

Diese Gouache dient als Vorlage für den Vorhang des *Train Bleu* (1924), dem Ballett Diaghilews nach einer Musik von Darius Milhaud und einem Text von Jean Cocteau: Die Handlung des *Train Bleu* spielt in den Ferien, an einem Modestrand.

Der Romaufenthalt mit Cocteau, während dessen Picasso für *Parade* sein erstes Bühnenbild schuf, hatte ihn die Majestät römischer Bildhauerkunst der Kaiserzeit entdecken lassen und ihn tief beeindruckt. Es wundert nicht, daß eine Vision der römischen Antike sich mit der Bildschöpfung fürs Theater verbindet, das in Picassos Leben stets eine große Rolle spielte. Man sieht, wie der Künstler vom Klassizismus ausgehend den Kanon traditioneller Gegenständlichkeit außer Kraft setzt, um sich in völliger Freiheit mitzuteilen.

Laufende Frauen am Strand, 1922
Gouache auf Sperrholz, 32,5 x 41,1 cm
Musée Picasso, Paris

Der Tanz

1

I m Herbst 1924 setzt sich André Breton für die *Demoiselles d'Avignon* ein – für ihn sind sie »ein Werk, das in einmaliger Weise die Malerei überschreitet, es ist das Theater all dessen, was seit fünfzig Jahren passiert« – und bewegt den Schneider und Kunstliebhaber Jacques Doucet, das Gemälde zu kaufen. Schließlich willigt Picasso ein, sich von seinem Meisterwerk zu trennen und es der Öffentlichkeit zugänglich zu machen.

Doucet vertraut Breton und kauft das Bild für die Summe von 25 000 Francs, ohne es vorher gesehen zu haben. Stets hat der Maler sich mit Vergnügen an die Argumente erinnert, mit denen sein Käufer eine Minderung des Preises erreichen wollte: »Nun, sehen Sie, Monsieur Picasso, das Sujet des Bildes hat so etwas ... Also, es ist etwas speziell, und ich kann es wohl nicht schicklicherweise im Salon von Madame Doucet aufhängen ...«

Und wirklich, als Doucet das Bild im Dezember geliefert bekommt, hängt er es »in den hintersten Winkel einer Zimmerflucht, die aus einem Saal für exotische Objekte, einem Arbeitszimmer und einem über Stufen zu erreichenden Vorzimmer besteht«.

André Breton, der soeben sein »Manifest des Surrealismus« publiziert hat, ist zur Zeit Papst der Bewegung, um den sich Dichter wie Aragon, Paul Eluard und Philippe Soupault scharen. Was Breton zu Ehren Apollinaires, der als erster den Ausdruck »surreal« benutzt hatte, »Surrealismus« nennt, definiert er so: »Reiner psychischer Automatismus, durch den man mündlich oder schriftlich (...) den wirklichen Ablauf des Denkens auszudrükken sucht (...), ohne jede Kontrolle durch die Vernunft, jenseits jeder ästhetischen oder ethischen Überlegung.« Man sieht, mit Dada, dessen Galionsfiguren Tristan Tzara und Francis Picabia waren, hat das nichts gemein. Dada war bloß eine Revolte. Der Surrealismus versteht sich als Revolution. Seine Vordenker – Freud, Dostojewski, Rimbaud, Lautréamont, Marx – und seine Schüler sind in jenem *Rendezvous der Freunde* versammelt, das Max Ernst 1922 gemalt hat. Die Surrealisten fühlen sich unmittelbar verwandt mit Picasso, der als erster den Blick über die »reale Realität« hinausgelenkt hat, um ihn allein auf die »surreale Realität« zu heften – auf das, was André Breton »das innere Modell« nennt.

1 und 2.
Josephine Baker gelingt es, eine neue Musik durchzusetzen und die »Neger-Revue« zum Triumph zu führen. Ob sie nun abends ihr berühmtes Kleid trägt und die oberen Zehntausend von Paris akklamieren oder halb verkleidet wie ein Clown auftritt und mit dem Schneider Poiret Sankt Katharina feiert, Josephine verkörpert Charme und absolute Grazie.

2

»Vom Standpunkt der Kunst gibt es keine abstrakten oder konkreten Formen, es gibt nur Formen, die alle mehr oder minder überzeugende Lügen sind.«

3. *Der Tanz*, 1925
Öl auf Leinwand, 215 x 142 cm
Tate Gallery, London

3.
Einmal mehr erstaunt Picasso mit seiner rhythmisch markanten Komposition *Der Tanz*. Die Farbgestaltung ist heftig, und die Spreizung der Figuren, die nagelförmigen Finger, die fliegenden Brüste, das totenkopfgleiche Gesicht der Figur mit hintübergeworfenem Kopf geben dem Bild einen aggressiven Charakter. Die Ehe zwischen Picasso und Olga zerbricht, und die ganze Gewalt der Gefühle findet sich in diesem Bild konzentriert.

In der ersten Nummer der Zeitschrift *La Révolution surréaliste* erscheint eine Collage Picassos aus dem Jahr 1914.

1925 bricht ein heftiger Streit aus: Kann es eine surrealistische Malerei geben, oder kann die Erkundung des Unbewußten nur mit Worten geleistet werden? Breton greift sofort zur Feder und findet in *Der Surrealismus und die Malerei* keine bessere Antwort, als sich auf Picasso zu berufen. Seinen Gedankengang veranschaulicht er mit fünf Bildern des Künstlers, dreien aus der kubistischen Periode, den *Demoiselles d'Avignon* und dem jüngsten Werk des Malers, einem Bid von beträchtlicher Gewaltsamkeit und Neuheit, dem *Tanz*.

Um den *Tanz* zu begreifen, muß man etwas zurückgehen und sich ins Privatleben des Malers hineinversetzen. Olga und er verstehen sich nicht mehr. Picasso hat Olgas immer häufigere Eifersuchtsszenen satt, ist das organisierte, geregelte, überraschungs-

1

2   3

1.
Fotomontage des Empire State Building in New York, 1931, mit seinen sechsundachtzig Stockwerken, die ein Ankerplatz für Zeppeline bekrönt, und seinen dreihundertachtzig Metern Höhe. Der Eiffelturm ist nicht länger das höchste Gebäude der Welt.

2.
Nach der Weltausstellung von 1900 präsentiert sich Paris erneut im Festgewand. Mit großem Pomp wird die Kolonialausstellung von 1931 eröffnet. Im ersten Wagen befinden sich Präsident Doumergue und Marschall Lyautey. Vor dem Wagen des Präsidenten ein paar laufende Pressefotografen.

4

lose Leben, das er ertragen muß, leid. Da fährt er im April mit Olga und Paulo nach Monte-Carlo in der Hoffnung, daß Olga, wenn sie erst Diaghilews Ballettruppe und Diaghilew selbst wiedersähe, sich vielleicht der ersten Verliebtheit entsänne und sich davon besänftigen ließe. Verlorene Liebesmüh. Es gelingt dem Paar nicht, zueinander zu finden. Nach Paris zurückgekehrt, malt Picasso wie ein Besessener und bringt so den *Tanz* hervor, der seine Entzweiung von Olga ein für allemal auf der Leinwand festschreibt. Olga liebt den klassischen Ballettanz. Picasso malt die fröhliche Raserei der modernen Tänze, ihre synkopierten, freien Bewegungen, erfindet eine explosive Komposition in heftigen Farben. Der Jazz hält Einzug ins Bild – vielleicht durch das offene Fenster –, und die schlingernden Hüftbewegungen der drei Tanzenden geben der Komposition einen schnellen, mitreißenden Rhythmus. 1925 ist auch das Jahr, in dem Josephine Baker mit ihrer »Neger-Revue« triumphiert und zu Musik, die aus New Orleans herübergekommen ist, Charleston tanzt ...

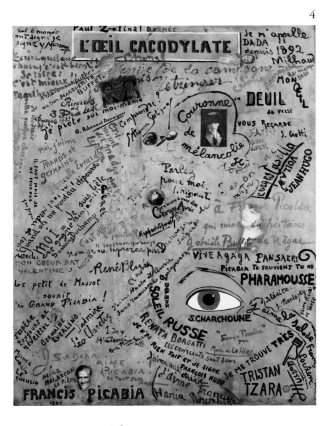

4.
Picabia, Dadaist bis zu seiner Trennung von Tzara, erklärt: »Die Kunst ist überall.« Nutzlos also, seine Kräfte mit dem Malen eines Bildes zu verschwenden. Damit es als Kunstwerk – und Marktwert – existiert, braucht man nur all jene signieren zu lassen, die »derzeit künstlerisches und intellektuelles Ereignis« sind. Um Picabias Auge herum, von ihm selbst gemalt, finden sich demnach die Graffiti und Unterschriften von Tzara, Milhaud, Perret, Poulenc, Soupault und Jean Hugo.

5.

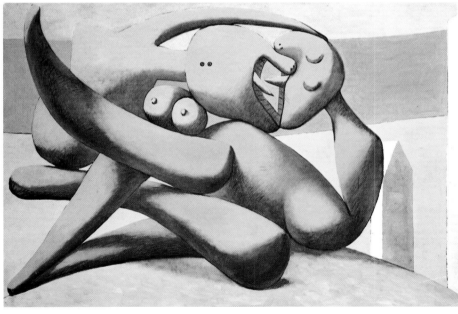

6

5.
Max Ernst hat in Frankreich Aufenthaltsverbot. Als Eluard ihn besucht, gelangt er mit dessen Paß über die Grenze. Der frühere Dadaist schließt sich der Surrealistengruppe an, die er 1922 in seinem *Rendezvous der Freunde* verewigt. Um Breton herum sind Crevel, Soupault, Arp, Max Ernst, Eluard, Jean Paulhan, Benjamin Péret, Aragon, De Chirico, Desnos und sogar Dostojewski zu erkennen.

7

6.
Die *Figuren am Meeresufer* tauschen einen Kuß mit stählern spitzer Zunge, pfeilgleich zwischen beängstigenden Zähnen. Männlich und Weiblich sind nicht zu unterscheiden, denn die beiden runden Brüste können zur einen so gut wie zur andern Figur gehören. Man kann aber annehmen, daß die Frau geschlossene Augen hat und die phallische Nase der männlichen Figur auf ihr Gesicht eindringt.

3. Der Hut macht den Mann, 1920 (Max Ernst)
Papier, Mischtechnik, 36,5 x 45,7 cm
Museum of Modern Art, New York

4. Kakodyl-Auge, 1921 (Picabia)
Öl auf Leinwand, 146 x 115 cm
Musée National d'Art Moderne, Paris

5. Das Rendezvous der Freunde, 1922 (Max Ernst)
Öl auf Leinwand, 130 x 195 cm
Wallraf-Richartz-Museum, Köln

6. Figuren am Meeresufer, 1931, Öl auf Leinwand
130 x 195 cm, Musée Picasso, Paris

*7. Weiche Konstruktion mit gekochten Bohnen
(Vorahnung des Bürgerkriegs),* 1936 (Dali)
Öl auf Leinwand, 100 x 99 cm
Museum of Art, Philadelphia

7.
Als sich 1936 der Spanische Bürgerkrieg abzeichnete, malte Dali diese *Vorahnung des Bürgerkriegs,* ein visionäres Meisterwerk surrealistischer Malerei.

Marie-Thérèse oder die wiedergefundene Seelenruhe

»Ich bin Picasso. Sie und ich, wir werden zusammen große Dinge machen …« Das Mädchen, das an einem Januartag des Jahres 1927 so angesprochen wird, schaut mit Verwunderung auf den Mann, der vor ihr steht. Sie heißt Marie-Thérèse Walter, ist so blond wie Olga, Eva oder Fernande dunkelhaarig waren, und siebzehn Jahre alt: »Ich war ein unschuldiges Gör. Ich wußte nichts – weder vom Leben noch von Picasso. Nichts. Ich hatte Einkäufe in den Galeries Lafayette gemacht, und Picasso hatte mich aus der Metro kommen sehen.« Picasso verliebt sich auf der Stelle in das Mädchen. Aber sie lebt bei ihren Eltern, und er ist verheiratet. Sechs Monate

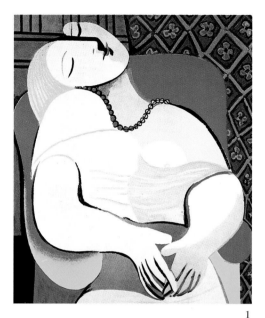

1.
»Gemalt Sonntag nachmittag, 24. Januar 1932«, schreibt Picasso auf die Rückseite der Leinwand, wie um Seligkeit und stilles Glück dieses Sonntags, an dem Marie-Thérèse schlief, besser zum Ausdruck zu bringen. *Der Traum* ist das erste Bild aus einer Serie, die überwiegend aus Akten besteht, die in seligem Schlummer liegen. Lebhafte Farben, gerundete Linien und die schmachtende Haltung des Modells geben dem Bild einen erotischen Reiz und vermitteln ein offenkundiges Glücksgefühl. Die Heiterkeit der Farben, das geblümte Papier und die Sinnlichkeit der Kurven erinnern an manche Werke von Matisse.

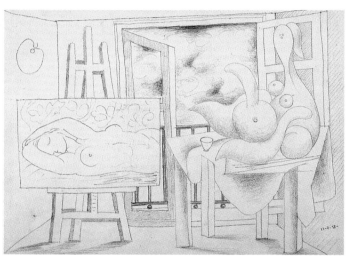

3 und 4.
Die *Badende mit dem Ball* ist inspiriert von einem Foto, das Picasso in Dinard von Marie-Thérèse gemacht hat.

lang macht der Maler Marie-Thérèse mit großem Nachdruck den Hof. Dann wird die Beziehung zärtlich, leidenschaftlich. Die Verliebten sind glücklich: Picasso vergißt seine fünfundvierzig Jahre und seine zunehmend zänkische Gemahlin. »Wir schäkerten und lachten den ganzen Tag zusammen, waren so glücklich über unser Geheimnis, lebten eine ganz und gar unbürgerliche Liebe, eine Bohemeliebe …« erinnert sich Marie-Thérèse. Sie wird fortan seine Muse. Er malt sie in einem fort. Auf seinen Studienblättern zunächst, dann in einer Serie scheinbar abstrakter Gitarren, deren ganze Struktur jedoch auf ihren gekreuzten Initialen aufbaut: M. T.

Glücklicherweise verläßt Olga nie das blankgebohnerte Parkett ihrer Gemächer. Aber sie wird lästig. Picasso ist in Marie-Thérèse einer neuen, einer kraftvollen, erstaunlichen Inspirationsquelle begegnet, und die Anwesenheit Olgas, diese ständige Irritation, droht alles zu verderben.

Gezwungenermaßen den Sommer mit der Familie in Cannes verbringend, malt Picasso badende Frauen und Männer am Strand. Er träumt sich seine Geliebte herbei, »immer so empfänglich für Zärtlichkeit und so sanft mit den Lippen, die ein Wort nur aussprechen, um es zu liebkosen … In den Himmel schaut sie nur, wenn sie auf dem Bett liegt, die Arme entspannt sich selbst überlassen.«

3   4

1. *Der Traum*, 1932
Öl auf Leinwand, 130 x 97 cm
Sammlung Ganz, New York

2. *Das Atelier*, 1933
Bleistift auf Papier, 25,6 x 34,2 cm
Musée Picasso, Paris

3. *Badende mit Ball*, 1929
Öl auf Leinwand, 22 x 14 cm. Musée Picasso, Paris

5. *Badende, eine Kabine öffnend*, 1928
Öl auf Leinwand, 32,8 x 22 cm. Musée Picasso, Paris

5.
»Ich liebe Schlüssel sehr … Es scheint mir sehr wichtig, welche zu haben. Ja, die Vorstellung von Schlüsseln hat mich oft verfolgt. In der Serie badender Männer und Frauen geht es immer um eine Tür, die man mit einem großen Schlüssel zu öffnen versucht.

14 Décembre XXXV

Sur le dos de l'immence tranche
de melon ardent
arbre morceau de fleuve
table à rire
sous la menace de l'aile qui
serre pour le plaisir de voir
espirer entre ces dents
distraite de son ennui
un abric d'herbe
les deux petits boutons de prunus
tombées si bas
s'embrasent depuis deux ou trois jours
enervés par les pleurs
de la petite fille

»Im Grunde, glaube ich, bin ich ein Dichter, der aus der Art geschlagen ist.«

1935 ist für Picasso ein schreckliches Jahr, »die schlimmste Zeit meines Lebens«, schreibt er an Sabartés.
Olga ist schließlich gegangen, hat Paulo mitgenommen, aber für Picasso ist an Scheidung nicht zu denken. Er müßte die Hälfte der Bilder, die seine Ateliers füllen und integrierender Bestandteil seiner Arbeit sind, abtreten. Unmöglich also, Marie-Thérèse zu heiraten und mit ihr und der kleinen Maya, von der die junge Frau gerade entbunden hat, ein öffentliches Leben zu führen. Man muß sich verbergen, ständig sich verbergen. Picasso kann darüber nicht mehr schlafen, ist zum Arbeiten nicht mehr imstande. Im Herbst zieht er sich ins Schloß Boisgeloup zurück, das er als Unterschlupf für seine Liebschaft mit Marie-Thérèse gekauft hat. Und dort, im Verborgenen, beginnt er zu schreiben, seine Kladden mit Gedichten zu füllen, die er illustriert. Vor langem schon hatte Apollinaire – als erster – bemerkt, daß Picasso »auch als er kaum Französisch sprach, fähig war, die Schönheit eines Gedichts sofort zu beurteilen, sie auszukosten … Er schrieb selbst bewundernswerte Gedichte in Spanisch und in Französisch.« Die Schriftzüge des Malers sind vibrierende Farbflecken, Zeichnungen, aus denen das Wort hervortritt. André Breton war von Picassos Gedichten so angetan, daß er Anfang 1936 mehrere davon in der Zeitschrift *Cahiers d'Art* veröffentlichte.

1. *Farbgedicht*, 1935
Musée Picasso, Paris

2. *Handschriftliches Gedicht*, 1936
Musée Picasso, Paris

Im März 1936 fahren Picasso, Marie-Thé- rèse und Maya nach Juan-les-Pins. Trotz der Behaglichkeit seines neuen Zuhauses ist Picasso von Sorgen geplagt, und das schlägt sich auf seine Arbeit nieder. Seinem Freund Sabartés schreibt er wunderliche Briefe: »Ich schreibe Dir, um Dir mitzuteilen, daß ich von heute abend an Malerei, Bildhauerei, Druck- graphik und Dichtung fahren lasse, um mich völlig dem Gesang zu widmen.« Ein Vorsatz, der glücklicherweise durch den folgenden Brief dementiert wurde: »Ich arbeite weiter, trotz des Gesangs und alledem.«

Der 1936 in Spanien ausgebrochene Bür- gerkrieg reißt den Maler aus seiner Melancho- lie. Picasso ergreift sofort Partei gegen Gene- ral Franco und stellt sich auf die Seite der Republikaner. Der Krieg wird mit jener unge- heuren Grausamkeit geführt, die bereits Merk- mal der immer mehr dem Faschismus unter- worfenen Epoche ist. Seit Hitler 1933 alle Bücher, die sich mit jüdischer Kultur befaßten oder von Juden geschrieben waren, verbren- nen ließ, hatte Kahnweiler das Ausmaß der Gefahr begriffen, die Europa heimsuchen sollte.

Zwei Monate vor Ausbruch des Spani- schen Bürgerkrieges hielt Hitler, umgeben von Nazi-Würdenträgern, seine Rede im Berli- ner Lustgarten vor einer bis zum Delirium begeisterten Menge, die ihre Arme nach der Hakenkreuz-Fahne ausstreckte.

Der Krieg gegen den Faschismus beginnt und mobilisiert manche Intellektuelle. Einige, so etwa Malraux, zögern nicht, sich als Freiwillige den Republikanern anzuschlie- ßen. Doch sind es nur wenige; der Schatten des Faschismus breitet sich über Europa aus.

»Malerei ist nicht dazu da, um Wohnungen zu schmücken. Sie ist ein offensives und defensives Kriegsgerät gegen den Feind.«

1

2

1 und 2.
Am 1. Mai 1936 hält Hitler eine Rede im Berliner Lust- garten (1). Seit 1935 war die Universität Wien von Nazistudenten besetzt (2). In Deutschland und Öster- reich wurden die Rassenge- setze erlassen. Mit Hitlers Übernahme der Reichskanz- lei und seit der Bücherver- brennung von 1933, in der alle jüdischen Bücher als »entartet« vernichtet werden sollten, ist den Juden der Zugang zu den Universitä- ten, zu bestimmten Läden und bestimmten Berufen verboten. In Frankreich rührt sich die extreme Rechte. Sie organisiert im Februar 1934 eine große antisemitische Kundgebung, die eine kommunistische Gegenkundgebung provo- ziert. In Spanien kommt es zum Bürgerkrieg zwischen Franco und seinen Truppen und den Republikanern. 1937 vernichten Francos Bomber die kleine Stadt Guernica. Picasso verewigt das Martyrium Guernicas in einem monumentalen Gemälde von 3,50 x 7,80 Metern, das zum Inbild der menschlichen Barbarei und des Widerstands gegen die Unterdrückung wird.

3

1937 organisiert die französische Regie- rung eine große Ausstellung unter dem nai- ven Titel »Fortschritt und Frieden«, die sich über etwa hundert Hektar am Fuß des Eiffel- turms und auf der Esplanade des Trocadéro erstreckt. Zweiundfünfzig Länder werden eingeladen, die Werke ihrer größten Künstler

3.
Kundgebung im Innenhof der Renault-Werke in Billan- court am 28. Mai 1936. Die Volksfront triumphiert.

4. *Die weinende Frau*, 1937
Öl auf Leinwand, 55 x 46 cm
Musée Picasso, Paris

4.
Die weinende Frau, eine Variation zum Thema Guer- nica, erscheint als Symbol des tragischen Schicksals spanischer Frauen während des Bürgerkriegs. Verkör- pert wird dieser von Dora Maar, der Frau aller Leiden- schaften, der politisierten Gefährtin mit ihrem über- aus lateinischen Tempera- ment, von der Picasso ge- sagt haben soll: »Ich konnte sie nie anders sehen oder mir vorstellen als weinend.«

in einem zur Verfügung gestellten Pavillon auszustellen.

Die Republikaner der *Frente Popular* bitten Picasso, ihre Sache im Namen des freien Spanien zu vertreten. Picasso willigt ein und beginnt seine Arbeit in dem großen Atelier der Rue des Grands-Augustins, das seine neue Ratgeberin Dora Maar entdeckt hatte.

Dora, die Paul Eluard ihm vorgestellt hatte, ist Malerin und Fotografin. Sie ist klug, kultiviert, leidenschaftlich an moderner Kunst interessiert, und vor allem spricht sie fließend Spanisch.

Ohne deshalb auf die zärtliche Zuwendung Marie-Thérèses zu verzichten, verbindet sich Picasso mit Dora, die ihm in dieser qualvollen Periode intellektuellen und politischen Beistand leisten wird.

Am 1. Mai 1937 enthüllen die Zeitungen der Welt das Untragbare: Die von Franco bestellten deutschen Bomber haben die kleine baskische Stadt Guernica zerstört. Die Bombardierung dauerte fast vier Stunden, in einem Radius von zehn Kilometern die Stadt und ihre Umgebung erbarmungslos vernichtend. Die Bilanz ist entsetzlich: 1660 Tote, Tausende Verletzte und Obdachlose, Trümmer, soweit der Blick reicht, eine von der Karte gelöschte Stadt. Verstört, tief getroffen, schleudert Picasso seinen Zorn auf eine acht Meter breite Leinwand. In einem Monat malt er das Martyrium von Guernica.

Am 4. Juni 1937 gelangt *Guernica* in den spanischen Pavillon der Pariser Weltausstellung.

1

1.
In einem vom europäischen Aufstieg des Faschismus gekennzeichneten politischen Umfeld will die Weltausstellung von 1937 eine Ausstellung für Frieden und Fortschritt sein. In Wahrheit spiegelt sie die Spaltungen, die in den Zweiten Weltkrieg führen werden. Auf dem vierundfünfzig Meter hohen deutschen Pavillon erhebt sich der Adler mit dem Hakenkreuz. Der sowjetische Pavillon gegenüber wird in dreiunddreißig Metern Höhe von dem Paar *Arbeiter und Kolchosenbäurin* bekrönt. Unterdessen bemüht sich das faschistische Italien, dem Glanz des antiken Rom nachzueifern. Im spanischen Pavillon vergegenwärtigt Picassos Gemälde *Guernica* den blutigen Bürgerkrieg und das Martyrium der kleinen baskischen Stadt, die von den Deutschen bombardiert worden ist.

2

Folgende Seiten:
Guernica, 1937
Öl auf Leinwand, 351 x 782 cm
Prado, Madrid

»Der spanische Krieg ist die Schlacht der Reaktion gegen das Volk, gegen die Freiheit. Mein ganzes Leben als Künstler war nichts als ein ständiger Kampf gegen die Reaktion und den Tod der Kunst. In dem Wandgemälde, an dem ich arbeite und das ich *Guernica* nennen werde, und in allen meinen neuen Arbeiten äußere ich deutlich meinen Abscheu vor der Militärkaste, die Spanien in ein Meer von Schmerz und Tod versenkt hat.«

3.
Diese Aufnahme Picassos vor seinem Werk *Guernica* stammt von Robert Capa, einem der größten amerikanischen Kriegsfotografen.

3

2 und 4.
Die von Hitler ermutigte Armee Francos verschont weder Republikaner noch Zivilbevölkerung. Männer, Frauen und Kinder werden ungestraft hingemetzelt, die Dörfer dem Erdboden gleichgemacht. Zahlreich sind die Bürger, die über die Grenze gelangen wollen, um in Frankreich Zuflucht zu finden. Wem es gelingt, wird von der französischen Regierung in Flüchtlingslagern eingepfercht wie Vieh.

4

9.mai.37 (III)

2

»Der Stier steht für die Brutalität, das Pferd für das Volk. Ja, diesmal habe ich Symbole verwendet ...«

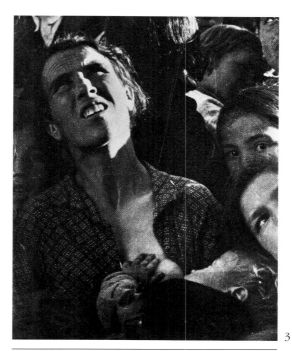

3

1 und 2. *Vorstudien für Guernica*
Museo Picasso, Barcelona

3. Fotografie von Robert Capa,
aufgenommen in Extremadura.

Während in Spanien der Bürgerkrieg
wütet, hat der Dichter José Berga-
min, Kulturattaché an der spanischen Botschaft in Paris, von Picasso
die Zusage erhalten, für eine Summe
von 150 000 Francs das große Wandgemälde des spanischen Pavillons zu
übernehmen. Nun erscheinen am
1. Mai 1937 drei Fotos von der Bombardierung Guernicas auf der Titel-
seite der Zeitung *Ce Soir*. Picassos
ganze Empörung ballt sich in
Guernica. Er zeichnet und malt fünfundvierzig Vorstudien, meist in
Farbe. Die symbolischen Elemente
tauchen bereits in den ersten Skizzen auf: Stier, Pferd, Leuchtenträge-
rin. Das ganze Gemälde ist in Trauer
gehüllt, Schwarz und Weiß evozie-
ren unabweislich den Tod.

1

1. *Vorstudie für Guernica*
Museo Picasso, Barcelona

2. *Die Flehende*, 1937
Gouache, Tusche auf Holz, 24 x 18,5 cm
Musée Picasso, Paris

Folgende Seiten:
1. *Porträt Marie-Thérèse*, 1937
Öl auf Leinwand, 100 x 81 cm
Musée Picasso, Paris

2. *Brustbild einer Frau mit gestreiftem Hut*, 1939
Öl auf Leinwand, 81 x 54 cm
Musée Picasso, Paris

2

Picasso hat fortan zwei Musen, die dunkel-haarige Dora Maar und die blonde, sanfte Marie-Thérèse, die er noch immer liebt und begehrt. Die Briefe, die er ihr schickt, sind von innigster Zärtlichkeit geprägt: »Heute abend liebe ich Dich mehr noch als gestern

Dora Maar

»Teuflisch verlockend in ihrer Verkleidung von Tränen, wunderbare Hüte tragend.«

1 und 2.
Picasso mit Dora 1937 in Juan-les-Pins und Mougins, wo die beiden in Gesell-schaft von Paul Eluard und dessen Gefährtin Nusch ihren Urlaub ver-lebten.

und noch nicht so sehr, wie ich Dich morgen lieben werde. Ich liebe Dich, ich liebe Dich, ich liebe dich, ich liebe Dich, Marie-Thérèse.« Oder: »Ich werde so bald wie möglich zum Mittagessen kommen, um Dich zu sehen, das ist das Angenehmste auf der Welt in meinem Hundeleben.« Picasso läßt die eine nicht um der anderen willen sitzen, wenn er auch in diesen quälenden Zeiten des spanischen Bür-gerkriegs seine Befürchtungen, Hoffnungen und seinen Zorn am liebsten Dora anvertraut. Denn immer noch geht Spanien dem Maler nicht aus dem Kopf: Er radiert auf zwei Plat-ten, denen er ein Gedicht beigibt, *Traum und Lüge Francos*, eine gnadenlose Anklage gegen den Franquismo: »Kinderschreie, Schreie von Frauen, Vogelschreie, Blumen-schreie, Schreie von Gebälk und Steinen, Schreie von Ziegeln, Schreie von Möbeln, von Betten, von Stühlen, von Vorhängen, von Töpfen …« Erschöpft sucht Picasso, begleitet von Dora, seine Freunde Nusch und Paul Eluard in Mougins auf. Picasso, der die Gesellschaft des Dichters stets geschätzt hatte, findet bei Eluard etwas von der einstigen Komplizität mit Apollinaire wieder. Er erholt sich, genießt Sonne und Wasser.

Im September kehrt er nach Paris zurück, wo er erstmals das Gesicht Doras malt. Aber er vergißt nicht Marie-Thérèse und seine Tochter, die er beide auf einem hübschen Anwesen in der Umgebung von Paris unter-gebracht hat (von Boisgeloup hat Olga Besitz ergriffen) und die er jedes Wochenende

2

3. *Porträt Dora Maar*
Öl auf Leinwand, 92 x 65 cm
Musée Picasso, Paris

3.
Picasso hat Dora stets in Rot und Schwarz, den Far-ben von Leidenschaft und Tod, gemalt. Sie verkör-pert schon für sich allein die Tragödie Spaniens.

besucht. Gerührt sieht er Maya heranwachsen, macht ihr Stoffpuppen und zeichnet unermüdlich ihr Gesicht, das immer mehr dem der Mutter ähnelt.

Die internationale Spannung nimmt zu, und die faschistische Gefahr wird zu einer fürchterlichen Realität, die ganz Europa erfaßt. In Deutschland entgeht die Kunst nicht dem nationalsozialistischen Terror. Hitler, der schon 1933 der ›entarteten Kunst‹ den Krieg erklärt hatte, eröffnet im Juli 1937 in München eine Doppelausstellung: Im Haus der Deutschen Kunst werden »gesunde« Bilder gezeigt, die ein arbeitsames Familienleben vor bukolischer Landschaft schildern, während in einem Depot, in wohlweisli-

1

chem Durcheinander, sogenannte »entartete« Werke von Matisse, Picasso, Klee, Ensor, Chagall, Kokoschka und anderen zu sehen sind. Für Hitler sind die Schöpfer moderner Kunst, besonders wenn es sich um Juden handelt, Verrückte, perverse Kranke, die ins Gefängnis oder in die Irrenanstalt gehören. Der Reichskanzler räumt die deutschen Museen von diesen »letzten Elementen unseres Kulturverfalls«. 1939 findet dann in Luzern eine Versteigerung dieser Werke statt, deren Erlös unmittelbar in die Kasse der Nazi-Partei fließt, während fünftausend als »nicht verwertbar« eingestufte Gemälde in einer Berliner Feuerwehrkaserne in Flammen aufgehen.

Die Invasion der Tschechoslowakei und Polens macht den Kriegseintritt Frankreichs und Großbritanniens unvermeidlich. Picasso schickt Marie-Thérèse und Maya nach Royan, weit fort von Paris, wo man die Möglichkeit eines Bombardements fürchtet. Am 23. August war der deutsch-sowjetische Nichtangriffspakt unterzeichnet worden, eine Desillusionierung für Picasso und Eluard, die noch geglaubt hatten, die demokratischen Länder und die Sowjetunion

»Ich habe immer geglaubt und glaube noch heute, daß die Künstler, die sich in Leben und Arbeit an geistigen Werten ausrichten, einem Konflikt, in dem die höchsten Werte der Menschheit und der Zivilisation auf dem Spiel stehen, nicht gleichgültig zuschauen können und dürfen.«

2

1.
Max Jacob gehört zu den sechs Millionen Juden, die dem Völkermord zum Opfer fallen. Trotz der Bemühungen Cocteaus, der eine Petition einreichte, um ihn aus dem Lager von Drancy freizubekommen, kam der Dichter dort 1944 ums Leben. Picasso nahm am Gottesdienst zu seinem Gedächtnis teil.

3

2 und 3.
Der letzte Exodus spanischer Flüchtlinge nach Frankreich (1939), wo sie in Lagern zusammengepfercht werden.

4.
Nusch Eluard verlebte eine ziemlich unglückliche Jugend. In Deutschland, wo sie in den zwanziger Jahren Schauspielerin war, gab man ihr trotz ihres ganz jungen Alters Altfrauenrollen. In Paris versuchte sie sich als Postkartenmodell durchzuschlagen. Paul Eluard, den Gala gerade wegen Dali verlassen hatte, begegnete ihr 1929 und hat sie sechs Jahre später geheiratet.

4. *Porträt Nusch Eluard,* 1937
Musée Picasso, Paris

könnten dem Wahn des Diktators ein Ende machen. Eile tut not. Man muß sein Werk vor der Barbarei schützen, das in verschiedenen Ausstellungen Verstreute in Sicherheit bringen. Schließlich, am 29. August, macht sich Picasso nach Royan auf, um Marie-Thérèse und sein Kind wiederzusehen. Dora begleitet ihn. Er trifft Marie-Thérèse in der Villa Gerbier-de-Jonc. Dora hat er im Hôtel du Tigre untergebracht. Hier, die beiden geliebten Frauen in seiner Nähe, fühlt Picasso sich in Sicherheit. Am 21. Juni 1940 unterzeichnen Hitler und Pétain den Waffenstillstand. Die Deutschen marschieren in Royan ein. Also beendet Picasso das nutzlose Exil und kehrt in sein Atelier in der Rue des Grands-Augustins zurück.

1 und 2.
Wie schon bei Paulo, zeichnet und malt Picasso als begeisterter Vater zahlreiche Entwürfe, Skizzen und Porträts von seiner Tochter Maya. Das hübsche Kind sieht Marie-Thérèse immer ähnlicher, was den Maler überaus freut. Die Puppe war bei vielen Malern ein beliebtes Thema, so auch bei Henri Rousseau (2) und Kokoschka (1).

1. *Mann mit Puppe*, 1922 (O. Kokoschka)
Staatliche Museen Preußischer Kulturbesitz, Berlin

2. *Kind mit Puppe*, um 1908 (Henri Rousseau)
Öl auf Leinwand, 67 x 52 cm, Musée du Louvre
(Sammlung Walter Guillaume), Paris

3. *Porträt Maya*, 1940. Farbstifte, 24 x 14 cm

4. *Maya*
Ausgeschnittener Karton, Farbstifte, 17 x 7 cm

5. *Maya*, 1942. Zeichnung, 35 x 21 cm

6. *Maya mit Puppe*, 1938
Öl auf Leinwand. Musée Picasso, Paris

1.

Picassos Atelier – und sein Blick – 1940 in Royan. Als er die überwältigende Aussicht entdeckte, die man vom obersten Stockwerk der Villa auf das Meer hatte, rief er aus: »Das wär' doch was für einen, der sich für einen Maler hält.«

1

2.

Nächtlicher Fischfang in Antibes ist das größte Gemälde, das Picasso seit *Guernica* gemalt hat. Dem Maler auf Urlaub in Antibes gefiel das Schauspiel nächtlichen Fischens mit seiner ganz einfachen Technik: Am Bug des Bootes wird ein großer Scheinwerfer angebracht, der künstlich das Leuchten einer Vollmondnacht erzeugt. Die davon angezogenen Fische brauchen die Fischer nur noch mit dem Netz zu fangen. Auf dem Kai sehen zwei Frauen dem Schauspiel zu: Dora und Jacqueline Lamba, André Bretons Frau.

2

2. *Nächtlicher Fischfang in Antibes*, 1939
Öl auf Leinwand, 205,8 x 345,4 cm
Museum of Modern Art (Mrs. Simon Guggenheim-
Stiftung), New York

Für die Nazis wie für die Vichy-Regierung gehört Picasso zu den Verfechtern einer »entarteten Kunst«. Man belegt ihn also mit Ausstellungsverbot.

Das Verhalten der französischen Künstler angesichts der Kriegsumstände ist nicht einheitlich: Es gibt jene, die sich mit dem Feind einlassen oder sogar nach Deutschland reisen, auf Einladung von Hitlers persönlichem Freund Arno Breker, dem repräsentativsten

»Picasso gehörte zu den wenigen Malern, die sich verhielten, wie es sich gehört, und er tut es weiter.« (Paul Eluard)

1

1.
Die Eröffnung der Arno-Breker-Ausstellung in der Orangerie der Tuilerien im Mai 1942 versammelt alles, was im vichyfreundlichen oder zumindest ›sich wohlverhaltenden‹ Paris Rang und Namen hat. Hinter den SS-Würdenträgern sind Abel Bonnard, Serge Lifar, Jean Cocteau und Arno Breker zu erkennen. Der Staatssekretär Benoist-Méchin am Mikrophon bringt Hitler, dem »Schirmherrn der Künste«, und Arno Breker, dem »Bildhauer der Helden« eine flammende Huldigung dar.

Bildhauer der ›Nazi-Kunst‹, der Kraft und Männlichkeit der deutschen Jugend verherrlicht. Dazu gehören Vlaminck, Derain, Dunoyer de Segonzac, van Dongen, der Bildhauer Paul Belmondo.

Viele der Künstler, die sich noch in der freien Zone aufhalten – so Max Ernst, Dalí, Masson, Brauner, Chagall – entschließen sich, Frankreich zu verlassen und in die USA zu gehen, wo sie ihr Werk in Ruhe würden fortführen können.

Bleiben jene, die den Kampf wählen und sowohl künstlerischen als auch geistigen Widerstand gegen den Besatzer leisten. Der Maler Jean Bazaine und André Lejard, Direktor der Editions du Chêne, organisieren vor der Nase der Besatzer eine Ausstellung mit den Werken der Künstler, die sich »Maler der französischen Tradition nennen«.

Ein Jahr später, 1942, huldigt Paris Arno Breker und empfängt ihn offiziell in der Orangerie der Tuilerien. Die Eröffnung lockt alles an, was Rang und Namen hat und mit Vichy-Frankreich konform geht. Der Erziehungsminister Abel Bonnard verneigt sich vor dem »Bildhauer der Helden«. Der Staatssekretär Benoist-Méchin, der in Hitler den »Schutzherrn der Künste« erblickt, dankt dem Krieg, daß er »die Schöpferkraft Brekers befruchtet« habe. Im Ehrenkomitee der Ausstellung finden sich alle Künstler, die sich nach Deutschland begeben hatten, Vlaminck, Dunoyer de Segonzac, van Dongen, Derain, Paul

2

2.
Heinkel-111-Bomber greifen England an und bombardieren London.

3.
Vergebens ist Picassos Absicht, »nicht den Krieg malen« zu wollen – seine Auswirkungen zu malen, kann er nicht umhin. Themen der Gemälde aus dieser Periode sind oftmals Tierschädel, verbogene Bestecke, leere Teller und fahle Kerzen. Die Entbehrung macht sich bemerkbar.

3. *Stilleben mit Gruyère-Käse*, 1944
Öl auf Leinwand, 59 x 92 cm
Privatsammlung

Belmondo. In vorderster Reihe des zahlreich versammelten Publikums: Arletty, Sacha Guitry, Paul Morand, Jacques Chardonne, Jean Cocteau und Serge Lifar. Inzwischen ist Picasso dank *Guernica* für sich allein Symbol des Widerstands geworden. Den Deutschen, die ihm eine Zusatzration Kohle anbieten, entgegnet er: »Einem Spanier ist nie kalt«.

1942 steigen SS-Leute in Picassos Atelier ab. Einer von ihnen mustert *Guernica* und fragt: »Haben Sie das gemacht?« »Nein, Sie«, antwortet der Maler. Picasso hält sich aus dem Krieg heraus, ohne aber je auf seine Würde als freier Mensch zu verzichten: »Ich möchte keine Risiken eingehen, aber ich will auch nicht gerade Gewalt oder Terror weichen.«

1

1.
Picasso und seine Freunde nach der ›Befreiung‹ im Atelier der Rue des Grands-Augustins.

2.
Paris ist befreit. Während die »Forces Françaises de l'Intérieur« das große Hakenkreuzbanner auf der Kommandatur der Place de l'Opéra herunterholen, um die französische Fahne zu hissen, werden die deutschen Soldaten gefangengenommen.

Françoise

»Du bist die einzige Frau, der ich je begegnet bin, die ihr eigenes Fenster zum Absoluten hat.«

Eingeschlossen in einem besetzten Paris, arbeitet Picasso, der seine Bilder nicht zeigen kann, mit seltener Intensität. Er verläßt sein Atelier nur, um Marie-Thérèse und Maya zu besuchen, die er in einer komfortablen Wohnung am Boulevard Henri IV. untergebracht hat.

Das Leben ist schwer. Es herrschen Hunger, Kälte, Angst. Man muß Ablenkung von der Furcht finden, Zuflucht nehmen zu rastloser Tätigkeit und – warum nicht – zum Spott.

2

3. *Porträt Françoise*, 1946
Zeichnung, 66 x 50,6 cm
Musée Picasso, Paris

3.
Das schöne Gesicht von Françoise Gilot, Picassos neuer Gefährtin.

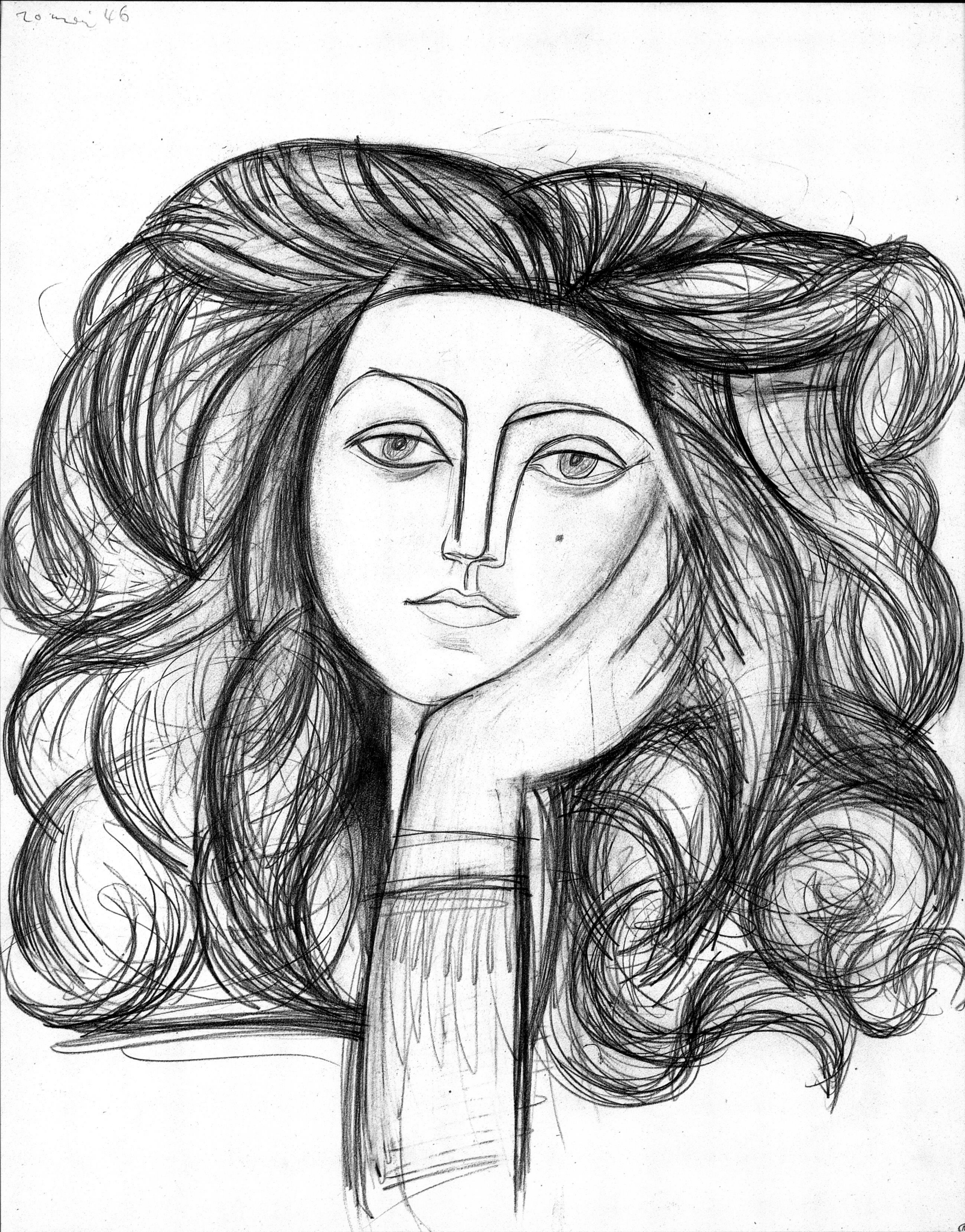
20 mai 46

Die wiedergewonnene Freiheit

»Ich habe den Krieg nicht gemalt, weil ich nicht zu der Sorte Maler gehöre, die wie Fotografen auf Themenpirsch gehen. Ohne Zweifel ist aber der Krieg in den Bildern vorhanden, die ich damals gemalt habe. Später wird vielleicht einmal ein Historiker nachweisen, daß sich meine Malerei unter dem Einfluß des Krieges gewandelt hat.«

2.
Picassos Taube, Symbol für den Frieden. Louis Aragon war es, der auf diese kurz zuvor vom Künstler geschaffene Lithographie stieß und sie für das Plakat des Friedenskongresses 1949 vorschlug.

Picasso vor *Die Küche*. 1949.

1.
Der Nürnberger Prozeß, in dem sich die Nazi-Verbrecher für ihre Verbrechen gegen die Menschlichkeit verantworten müssen. Stehend links, Göring.

Dann schreibt Picasso eines Abends im Januar 1941 *Wie man Wünsche beim Schwanz packt,* ein merkwürdiges, surrealistisches, burleskes Theaterstück, eine Farce in sechs Akten, deren Personen Namen wie *Torte, Plumpfuß, Zwiebel, Magere Angst* und *Fette Angst* tragen.

Drei Jahre später wird bei Michel Leiris und seiner Frau eine Lesung organisiert. Jean-Paul Sartre, Simone de Beauvoir, Raymond Queneau, Camus, Reverdy und Lacan teilen sich die Rollen ...

Endlich, am 24. August 1944, ist Paris befreit. Das Publikum, zahlreicher denn je, hat Picasso wieder. Nur wenige Künstler haben keinen Umgang mit dem Besatzer gepflegt. Zu ihnen gehört Picasso. In seinem Atelier drängen sich viele Amerikaner und Briten, um ein bißchen mit ihm zu plaudern.

Einmal mehr hat der Krieg ihm seine engsten Freunde genommen, darunter Max Jacob. Aber er hat Françoise kennengelernt. Eine ganz junge, wunderschöne Malerin. 1945 zieht sie mit ihm zusammen.

4. *Das Beinhaus,* 1944–45
Öl und Kohle auf Leinwand, 199,8 x 250,1 cm
Museum of Modern Art, New York

4.
Während der Krieg zu Ende geht, malt Picasso *Das Beinhaus.* Diese Anhäufung von Leichen, von zerstückelten Menschenkörpern, erscheint als eine Art Gegenstück zu *Guernica.* In der unmittelbaren Nachkriegszeit ist dieses Gemälde um so grauenvoller. Es führt der Welt das unerträgliche Massaker an den Unschuldigen vor Augen.

Picasso als Lithograph

1. Zustand, 5. Dezember 1945

2. Zustand, 12. Dezember 1945

3. Zustand, 18. Dezember 1945

4. Zustand, 22. Dezember 1945

5. Zustand, 24. Dezember 1945

6. Zustand, 24. Dezember 1945

7. Zustand, 28 Dezember 1945

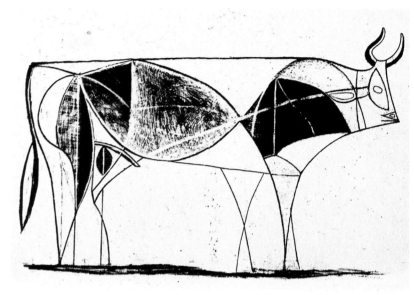

8. Zustand, 2. Januar 1946

9. Zustand, 5. Januar 1946

10. Zustand, 10. Januar 1946

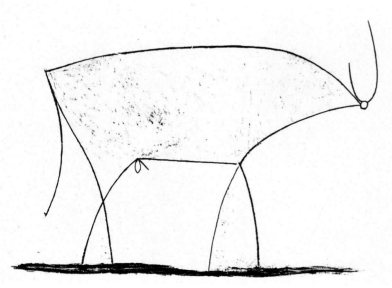

11. Zustand, 17. Januar 1946

Der Stier, Lithographie in 11 Zuständen, 1945/46
Feder und Lavierung auf Stein, 29 x 37,5 cm

Die Schriftstellerin Hélène Parmelin, eine treue Freundin Picassos, berichtet, was der Drucker Célestin ihr über die Arbeit des Künstlers im Atelier von Mourlot anvertraute. Picasso schuf dort fast vierhundert Lithographien, wobei er alle Techniken einsetzte: Pauspapier, Stein, Zink, Bleistift, Lavierung, Feder. Indem er die althergebrachten Techniken des Handwerks erneuerte, legte er den Grund für einen beispiellosen Aufschwung der Kunstlithographie unmittelbar nach dem Krieg. »Eines Tages«, sagt Célestin, »beginnt er also diesen berühmten Stier. Ein prächtiger Stier, sehr stämmig. Ich fand, das war's. Ganz und gar nicht. Zweiter Zustand, dritter, immer noch stämmig. Und immer so weiter. Aber der Stier ist nicht mehr derselbe. Allmählich nimmt er ab, verliert Gewicht. Im letzten Zustand waren gerade noch ein paar Linien übrig. Ich schaute ihm bei der Arbeit zu. Er nahm weg und weg. Ich aber dachte an den ersten Stier. Und ich konnte nicht umhin, mir zu sagen: Ich verstehe nicht, warum er da aufhört, wo er hätte anfangen sollen! Aber er, er suchte seinen Stier. Und um bei seinem Stier aus einer Linie anzukommen, hatte er sich durch alle diese Stiere hindurchgearbeitet. Und wenn man dann diese Linie sieht, kann man sich nicht vorstellen, was für eine Arbeit sie ihn gekostet hat.« Dazu Hélène Parmelin: »Dieser Werdegang des Stiers ist

1

1.
Vierfarbige Lithographie (grün, violett, bisterbraun und schwarz). Im abgebildeten zweiten Zustand wurden die vier Zinkplatten ohne Änderung der Farben retuschiert.

typisch. In jedem Zustand steckt eine bestimmte Wirklichkeit. Und jede dieser Wirklichkeiten sucht eine andere Wahrheit. Die Wahrheit, die am Ende bleibt, spricht sich, wie man das Wort Stier spricht. Das ist auch einer der Vorzüge der Lithographie, wie auch der Radierung oder des Linolschnitts. Bei diesen Künsten gibt es erklärte, offizielle ›Zustände‹. Die Arbeitsschritte sind klar voneinander geschieden. Man hat sie alle vor Augen. Dem Betrachter gibt dies einen außergewöhnlichen Einblick.«

1. *Frau mit grünem Haar,* 1949
Lithographie, 2. Zustand

2. *Frau im Sessel I,* 1948
Lithographie, 4. Zustand in Schwarz

2.
Von dieser Lithographie entstanden zwei Zustände in Farbe, die Picasso nicht zufriedenstellten. Die Platten wurden dann für neuerliche Korrekturen instand gesetzt. Dabei verwandelten sich jedoch bis zum sechsten Zustand die Farben aller Platten in Schwarz. Von November bis Ende Dezember 1948 wurde alle Tage oder Nächte die Zinkplatten abgeschabt, ausgewischt und mit neuer Zeichnung versehen.

Vallauris

Bei Kriegsausgang tritt Picasso in die Kommunistische Partei ein: »Ich bin ohne jedes Zögern zur Kommunistischen Partei gegangen, denn im Grunde gehörte ich schon immer zu ihr ... Diese Jahre schrecklicher Unterdrückung hatten mir bewiesen, daß ich nicht bloß mit meiner Kunst, sondern auch mit meiner Person kämpfen mußte. Ich mußte so dringend meine Heimat wiedersehen! Ich war immer ein Exilierter.

1

Jetzt bin ich es nicht mehr. Während ich darauf warte, daß Spanien mich endlich aufnehmen kann, hat mir die Kommunistische Partei Frankreichs die Arme geöffnet, und da bin ich allen wiederbegegnet, die ich schätze (...). Ich bin jetzt wieder unter meinen Brüdern.«

Picasso liebt Françoise zutiefst, hat sich aber von Dora nicht losgesagt. Er gedenkt im Feld der Liebe ein Doppelleben zu führen wie vormals mit Olga und Marie-Thérèse, dann mit Marie-Thérèse und Dora.

Aber damit ist Françoise nicht einverstanden. Sie ist zwanzig, eigensinnig und macht keine Abstriche. Sie widersteht Picasso, der sie bittet, gemeinsam mit ihm zu leben. Die junge Frau verreist in die Bretagne, und der Maler trifft sich mit Dora, die völlig mit den Nerven am Ende ist. Er nimmt sie mit nach Antibes, kann aber nicht umhin, ein Zimmer auch für Françoise zu mieten – die nicht kommt.

Damals schenkt Picasso Dora ein schönes altes Haus in Ménerbes, das er mit einem Stilleben bezahlt. Es ist ein Abschiedsgeschenk. Die Entschlossenheit von Françoise hat über die Gewohnheiten des alten Don Juan gesiegt. Picasso führt Françoise zu den Spuren seiner Jugend. Zusammen besichtigen sie Montmartre, das Bateau-Lavoir und die Rue des Aules. »Das klopfte er an eine Haustür und trat ohne weiteres ein. Ich sah eine kleine Alte, mager, krank und zahnlos, auf ihrem Bett liegen. Ich blieb an der Tür angelehnt stehen, während Picasso leise mit ihr sprach.

2

»Ein Lehrling, der wie Picasso arbeiten würde, fände keine Arbeit.« (Georges Ramié)

3. *Die Ziege,*
Originalgips, 120,5 x 72 x 144 cm
Musée Picasso, Paris

1 bis 3. An seiner Gipsplastik *Die Ziege* arbeitet Picasso im Atelier von Vallauris. Für die Konstruktion des Tieres hat der »geniale Lumpensammler« die unterschiedlichsten Materialien verwandt, die teils aus seiner persönlichen Sammlung, teils von der Müllhalde in Vallauris stammen: einen Weidenkorb für die Wölbung des Bauches – die Ziege ist trächtig –, ein Palmblatt, Alteisenstücke usw.

Nach einer Weile ließ er etwas Geld auf dem Tisch zurück. Sie dankte ihm mit Tränen in den Augen.«

Sobald sie draußen waren, erzählte Picasso Françoise von der unglücklichen Liebesgeschichte, die seinen Freund Casagemas in den Selbstmord getrieben hatte. Die Alte war niemand anderes als Germaine Pichot.

Am 15. Mai 1947 bringt Françoise Picassos drittes Kind Claude zur Welt. Der Maler hat

Picasso als Keramiker

1.
Der Künstler in seinem Atelier, 1952 fotografiert von Robert Doisneau.

die Keramik wieder aufgenommen und arbeitet im Atelier Madoura, das Georges und Suzannes Ramié gehört. Im Laufe eines Jahres entstehen mehr als zweitausend Stücke. Der Künstler, der den Ort Vallauris 1936 bei einer Autotour mit Paul Eluard entdeckt hatte, bezieht mit Françoise und Claude eine hübsche Villa namens ›La Gallise‹ und setzt sein keramisches Werk fort. Die Töpferfreunde staunen über seine Kühnheit: »Die Vielfalt alter Verfahren reichte Picasso in Wirklichkeit nicht aus (...). Für ihn ist Keramik nur ein zusätzliches Ausdrucksmittel, das er – wie alles, was er anfängt – um Offenbarungen und Rätsel zugleich bereichert (...). Die Lebhaftigkeit seines revolutionären Geistes drängt ihn, nach zwangloser Erweiterung seines Charakters zu suchen, der ihn zu unablässiger Entdeckung seiner selbst und der Welt hinzieht. Deshalb also diese mitunter bestürzend hervorsprudelnde Tatkraft, diese Schöpferkraft, diese wie ein Feuerwerk prasselnde Behendigkeit mit allen ihren Einfällen, die einen überraschen, dann aber faszinieren.« (Georges Ramié)

Picasso freut sich wie ein Kind an einem neuen Spielzeug. Das von Malern eher vernachlässigte alte Kunsthandwerk der Keramik kommt ihm wie gelegen. Je weiter seine Arbeit gedeiht, desto mehr neue Techniken

2. *Vase: Frau mit Mantille*, 1949
Keramik, 44,7 x 112,3 x 9,5 cm. Musée Picasso, Paris

3. *Flasche: Kniende Frau*, 1950
Keramik, 29 x 17 x 17 cm. Musée Picasso, Paris

2 und 3.
Zunächst verwendet Picasso traditionelle Töpferwaren (im Atelier Madoura hergestellte Teller, Servierplatten und Vasen) zur Dekoration mit Buntglasuren und verleiht damit schlichten, alltäglichen Gebrauchsgegenständen eine neue Qualität. Dann beginnt er, seine Stücke selbst zu formen. Dabei arbeitet er mehr als Bildhauer denn als Keramiker. Er gestaltet die Form des noch feuchten und geschmeidigen Objekts um, indem er es einbuchtet oder staucht. Vasen oder Flaschen verwandeln sich in kleine Frauen, die, sobald sie koloriert sind, zu *Tanagrafiguren* werden, wie er sie ihrer Ähnlichkeit mit den antiken Statuen wegen auch nannte.

macht er ausfindig. Eine Vase frisch von der Scheibe eines Töpfermeisters modelliert Picasso noch einmal mit leichter Hand. Dann verwandelt er mit einem einzigen geschickten Druck seiner Finger den Gebrauchsgegenstand in eine Taube: »Drollig«, ruft er auf einmal aus, »um eine Taube zu erschaffen, muß man ihr als erstes die Gurgel umdrehen!«

Kurz nach der Geburt von Paloma, dem zweiten Kind, das Picasso von Françoise bekommt, bezieht Picasso ein geräumigeres Atelier als jenes seiner Freunde Ramié. Er umgibt sich mit Materialien, die er zu horten begonnen hatte: mit Steinen, Eisenstangen, Dachziegeln und vielem mehr.

Die Ziege, anhand der Vorzeichnungen datierbar auf 1930, ist eine Hymne an die Fruchtbarkeit. Picasso verwendet einen alten

1

2

3

4

2 und 3.
Ein Augenblick der Entspannung für Picasso und Michel Leiris, 1950 in Nîmes (2). Ein Augenblick der Entspannung auch für Claude und Françoise, fernab von der Kamera Rossifs – nicht aber vom

5

Fotoapparat ihres Freundes Robert Picault (3).

1. 4. 5 bis 7.
Picasso während der Dreharbeiten zu dem Film, den Frédéric Rossif ihm in Vallauris gewidmet hat.

Weidenkorb für den trächtigen Bauch, ein Palmblatt anstelle des Rückgrats, gebogenes Eisenstück für den Schwanz; Holz von Rebstöcken geben Hörner und Bart ab, eine Konservenbüchse das Brustbein; zwei ockerfarbene Tontöpfe ergeben das Euter; ein geknicktes Metalldeckelchen stellt das Geschlecht dar und ein Stück Metallrohr den Anus.

Das ganze ist mit Gips übergossen. Picasso, dieser »geniale Lumpensammler«, wie ihn Cocteau einmal nannte, vervielfacht seine Erfindungen. Mit *Seilhüpfendes Mädchen* stellt er die erste Skulptur her, die den Boden nicht berührt.

Die *Frau mit Kinderwagen* beruht wie *Pavian mit Jungen* auf dreidimensionaler Collage, denn diese Werke sind aus realen Objekten gewonnen: einem Kinderwagen bzw. Spielzeugautos, die Kahnweiler Claude geschenkt hat.

6

*M*assaker in Korea, diesen Titel gab Picasso seinem Bild anläßlich der amerikanischen Intervention in Südkorea, als die nordkoreanische Armee Seoul besetzte. Mit seinem berühmten Gemälde *Guernica* hatte er das Massaker an der Bevölkerung der kleinen baskischen Stadt gleichen Namens angeklagt, mit dem *Beinhaus* die Konzentrationslager, jetzt stellt er erneut sein politisches Engagement unter Beweis.

Aber das Gemälde mißfällt den Parteigenossen, die ihm vorwerfen, er habe sich einmal mehr der offiziellen Kunstdoktrin entzogen. Man hatte ein realistisches, lesbares Werk nach Art des Malers Fougeron erwartet, das die Masse der Arbeiter verstehen konnte. Die KPF ist außer sich und »boykottiert« offen das Gemälde. Der Sekretär des Generalkomitees, Auguste Lecoeur, sorgt persönlich dafür, daß das Bild totgeschwiegen wird, während

der Kritiker Michel Ragon schreibt: »Die Jugend wendet sich ab von diesem lästigen Genie, von dem es heißt, es habe ein Repertoire der Frevel gegen die Kunst angehäuft (...). Man wird dem Publikum Picasso austreiben müssen.«

Das schlechte Einvernehmen mit der KPF schwindet noch lange nicht. Beim Tod Stalins im Jahr 1953 läßt der Künstler sich von einer Fotografie des jungen Stalin anregen und schickt seine Zeichnung der Zeitung *Les Lettres Françaises*. Damit verursacht er einen Skandal. Die Parteiverantwortlichen bezichtigen ihn, »von bourgeoiser Warte« gezeichnet zu haben. Die Aktivisten trauern um einen weißhaarigen Greis – seine plötzliche Verjüngung erscheint ihnen als Brutalität.

Massaker in Korea, 1951
Öl auf Holz, 109 x 209 cm. Musée Picasso, Paris

Sylvette

1

Françoise und Picasso verstehen sich nicht
mehr. Der Maler tröstet sich mit Geneviève
Laporte, der »Kleinen, die mich nach der
Befreiung besuchen kam, im Namen der
kommunistischen Gymnasiasten.« Aber er ist
tief betroffen vom Konflikt mit der Kommunistischen Partei wie auch vom Tode Paul
Eluards. Der Bruch mit Françoise ist nicht
mehr abzuwenden. Im Gehen sagt die junge
Frau ihm einfach: »Wissen Sie, ich war vielleicht Sklavin meiner Liebe, aber Ihre war ich
nicht«. Picasso, nicht von dem Schlage, der
sich unterkriegen läßt, arbeitet ungestüm an
einer Folge von 180 Zeichnungen zum
Thema Maler und Modell. Er knüpft wieder
an die Minotaurus- und die Zirkusthematik
an, malt Claude und Paloma, die ihn zu
Ostern besuchen. Mit seinen fünfundsiebzig
Jahren bleibt er ein heißblütiger Mann, voller
Aufmerksamkeit für die Welt und für die
Frauen. Die weibliche Haartracht, für die er
ungemein empfänglich ist, ändert sich mit
der Mode: Der Pferdeschwanz taucht auf. In
den Straßen von Vallauris trifft der Maler
Sylvette, die mit ihren zwanzig Jahren diesen neuen Frauentyp vollendet verkörpert.
Picasso ist von ihr hingerissen und möchte
sie malen. Eine Serie von mehr als 40 Gemälden und Zeichnungen hat der Maler von ihr
geschaffen.

2.
Ist die Ähnlichkeit
Sylvettes mit Brigitte
Bardot nicht verblüffend?

2

3. *Porträt Sylvette*, 1954
Öl auf Leinwand, 100 x 82 cm
Privatsammlung

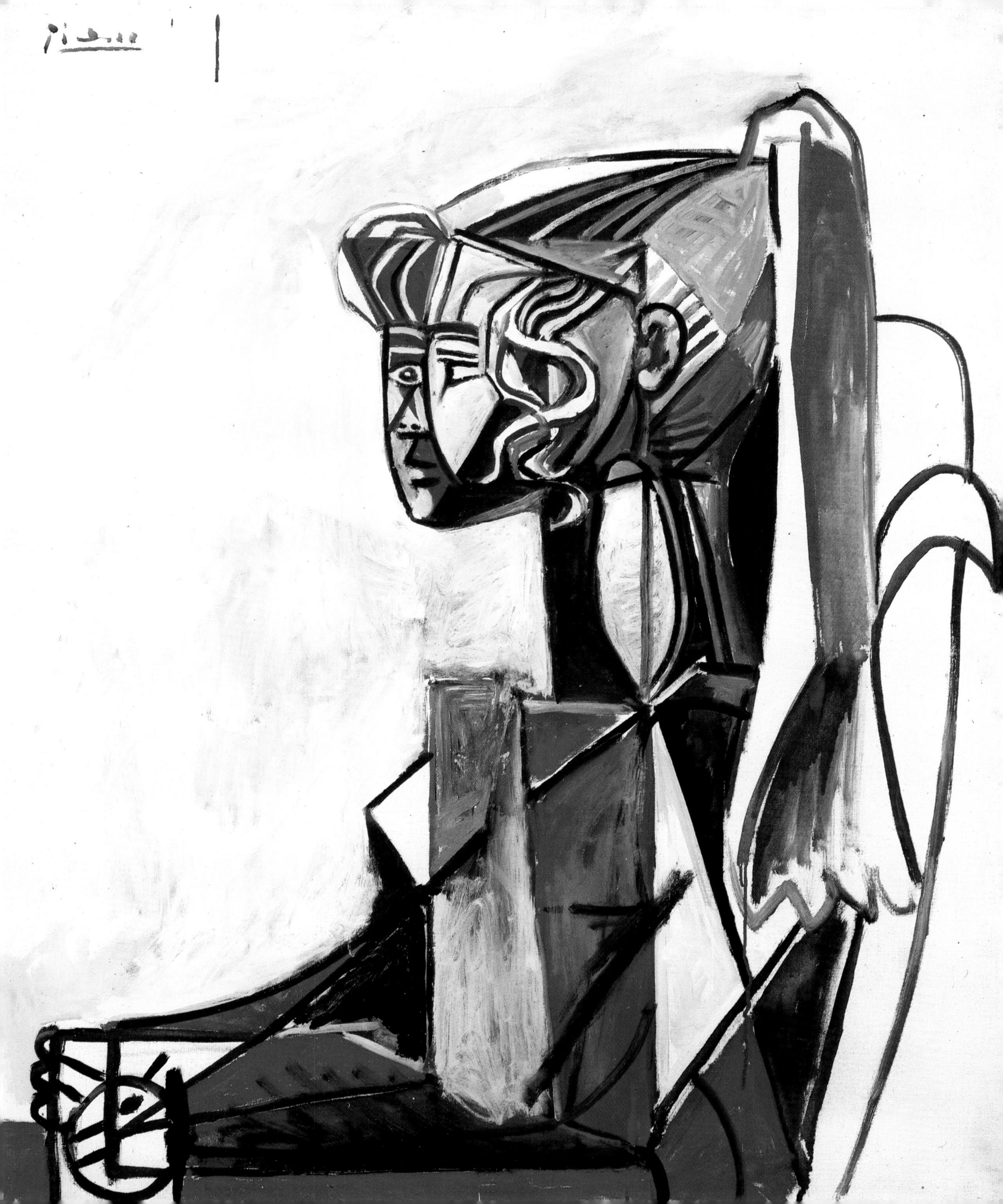

Jacqueline

Picasso ist dreiundsiebzig, als er einer schwarzhaarigen jungen Frau von mediterraner Schönheit mit großen dunklen Augen begegnet. Die Ähnlichkeit dieser Verkäuferin mit einer der *Frauen aus Algier* von Delacroix macht auf Picasso großen Eindruck. Er macht ihr den Hof, zeichnet Tauben auf die Mauern ihres Hauses, schreibt ihr Gedichte. Jacqueline Rocque hält Einzug in sein Leben und mit ihr beginnt eine Liebesgeschichte, die erst Picassos Tod enden läßt. Jacqueline ist gerade dreißig. Sie schenkt Picasso, was ihm noch keine Frau bislang gegeben hatte, unbedingte Liebe bis zu Hingebung, bis zur völligen Selbstaufgabe, eine Liebe ohne Tränen, ohne Gewaltausbrüche, ganz nach Picassos Wunsch und Begehr. Jacqueline ist still. Sie folgt Picasso wie ein Schatten, und er läßt zu, daß sie ihm folgt, bis hinein ins Atelier. Die junge Frau setzt sich auf einen Stuhl und schaut ihm die ganze Nacht beim Malen zu. Sie geht erst

Picasso, Jacqueline und ihr Dalmatiner Perro

»Die Malerei ist stärker als ich, sie läßt mich machen, was sie will.«

schlafen, wenn auch der Künstler schlafen geht, ißt nur, wenn auch er Hunger hat. Besser noch, sie erhebt keinen Eispruch gegen seine entsetzliche Unordnung, die einen dazu nötigt, beim Durchqueren der doch weitläufigen Villenräume über anscheinend unnütze und hinderlich herumstehende Gegenstände hinwegzusteigen. Aber der Maler braucht diese Unordnung. Sie zankt nicht deswegen, sie versteht.

Ihre Bewunderung ist so grenzenlos, daß sie mitunter schon ans Mystische grenzt. Sie nennt ihren Gefährten »Monseigneur« oder »My Lord«, küßt ihm ehrfürchtig die Hände. Picasso lächelt, belustigt von so viel Inbrunst.

4. *Jacqueline mit verschränkten Händen,* 1954
Öl auf Leinwand
Musée Picasso, Paris

4.
Picasso hat Jacqueline oft hockend und in arabischer Kleidung dargestellt. Vermutlich hat er nie vergessen, wie ihm gleich bei der ersten Begegnung die Ähnlichkeit der jungen Frau mit einer der *Frauen aus Algier* von Delacroix ins Auge fiel. Das Profil ist regelmäßig, der Hals in die Länge gezogen, um die Anmut des Modells hervorzuheben. Picasso gibt die Gesichtszüge Jacquelines in ihrer strengen Reinheit wieder.

Picasso Zuschauer bei einem Stierkampf. Neben ihm Jacqueline und Jean Cocteau. Hinter dem Maler seine Kinder, Maya, Paloma und Claude.

Wir, die Spanier,
das ist Messe am Morgen,
Stierkampf am Nachmittag,
Bordell am Abend.
In was mischt sich das?
In Traurigkeit.
Wie im Escorial.
Trotzdem, ich bin ein
fröhlicher Mensch, oder?

Nach und nach erfüllt Jacquelines Liebe die ganze Villa. Picasso ist glücklich, heiter, befreit von der obsessiven Erinnerung an vergangene Eroberungen. Jacqueline kümmert sich um alles, flößt ihm Mut ein, kommt seinen geringsten Wünschen zuvor. Picasso kann sich fortan ausschließlich – oder doch fast – ums Malen kümmern.

1961 heiratet er Jacqueline in Vallauris, in aller Heimlichkeit. Hämischen Geistern, die sich später wundern, wie eine dreißigjährige Frau einen bald Achtzigjährigen ehelichen kann, entgegnet sie: »Ich habe den schönsten jungen Mann der Welt geheiratet. Ich war es, die alt war.«

Dem Tischnachbarn, der sie in einem Restaurant dazu anhält, die Schönheit der Abenddämmerung zu bewundern, antwortet Jacqueline: »Wenn man das Glück hat, Picasso vor sich zu haben, schaut man nicht auf die Sonne.«

Picasso und Jacques Prévert beim Spaziergang

4. *Der Kuß*, 1969
Öl auf Leinwand, 130 x 97 cm
Musée Picasso, Paris.

4.
Seit 1925 in Juan-les-Pins der *Kuß* entstand, ist fast ein halbes Jahrhundert vergangen. Die Komposition ist geschmeidiger, die Faktur lesbarer. Mit achtundachtzig Jahren ist Picasso sanfter geworden, hat sich aber seine Lebens- und Liebeslust erhalten.

Picasso stellt 1955 eine Serie von fünfzehn Gemälden fertig, allesamt Variationen über die *Frauen aus Algier* von Delacroix. Dabei legt er sowohl die Version von 1834 (Louvre) als auch die von 1849 (Montpellier) zugrunde. Er wandelt das Bild um, er nimmt es auseinander und setzt es seiner eigenen Werkvision folgend wieder zusammen. Verwunderten Fragestellern entgegnet Picasso: »Daß ich derartig viele Studien male, hängt einfach mit meiner Arbeitsweise zusammen. Ich mache hundert Studien in ein paar Tagen, wo ein anderer Maler hundert Tage über einem einzigen Gemälde zubringen mag. Während ich weitermache, werde ich ein paar Fenster öffnen. Ich werde hinter die Leinwand treten, und vielleicht wird etwas passieren.«

In den ersten beiden Gemälden übernimmt Picasso von Delacroix nur die rechte Hälfte; dabei entkleidet er im gleichen Zug die Oberkörper der Frau, die Jacqueline so ähnlich sieht, und der Frau mit der Wasserpfeife.

Im dritten Bild aus dieser Serie, zwei Wochen später gemalt, ist die ganze Komposition umgestoßen. Es kommt nun wieder eine dritte Frau hinzu, und die nun völlig nackte Schlafende liegt hintüber, die Beine in der Luft.

Es folgen noch viele erstaunliche Versionen, darunter eine, in der erneut Françoise zu erkennen ist. Sie alle münden Mitte Februar in die Endfassung, deren gewaltsam geometrisierter Raum unmitelbar auf die *Demoiselles d'Avignon* verweist. Die Metamorphose ist vollzogen. Picasso hat sich die Frauen von Delacroix zu eigen gemacht, hat sie mit erotisch angehauchter Gewalt seiner eigenen, einmaligen Bildwelt eingefügt.

1. *Frauen aus Algier*, 1834 (Dealcroix)
Öl auf Leinwand, 180 x 223 cm
Musée du Louvre, Paris

2. *Frauen aus Algier*, 1955
Öl auf Leinwand, 114 x 146 cm
Nachlaß Picasso

Im Laufe des Winters 1962–1963 arbeitet Picasso an einer monumentalen Gemäldeserie zum Thema *Raub der Sabinerinnen* nach dem Gemälde von David. Abermals nimmt er auseinander, sortiert und bereinigt, um besser wiederaufbauen zu können. Gegenüber Davids sorgfältiger Inszenierung

1

2

»Ich arbeite auf eine sehr traditionelle Art, wie Tintoretto oder El Greco; sie malten in monochromen Abstufungen, mit Tempera, und fügten dann, zum Schluß hin, transparente, getönte Lasuren hinzu, um die Kontraste hervorzuheben.«

bevorzugt Picasso den Tumult. Seine Komposition ist von gewaltvoller Dramatik. Die ineinander verschlungenen Körper erinnern an *Guernica* oder *Das Beinhaus*.

»Natürlich ist ein Krieger ohne Helm, ohne Roß und ohne Kopf viel einfacher hinzubekommen. Aber der interessiert mich dann auch nicht. Denn in dem Augenblick kann er ebensogut ein Herr sein, der in die Metro steigt. Was mich aber am Krieger interessiert, ist der Krieger.«

Picasso stellt die von David gewollten Proportionen auf den Kopf. Die Figuren sind riesig oder aber winzig klein. Auch hier wieder betont das monochrome Grau das Tumulthafte, insofern Sabiner und Römer nicht durch Farbe unterschieden sind.

Das sich bäumende Pferd versetzt das Bild in eine schwindelerregende Bewegung. Die massigen Hufe werden den bereits verstümmelten Körper der auf dem Boden liegenden Frau treffen oder haben ihn gerade getroffen. Ihren Armen entflohen, versucht ein schreiendes Kind dem Massaker zu entkommen. Der Aufeinanderprall der beiden ›Sippen‹ ist spektakulär. Picasso fertigt Hunderte von Studien und Vorzeichnungen an. Das Werk ist diffizil. Seiner Freundin Hélène Parmelin vertraut der Maler seine Sorge an: »So ist es noch nie gewesen, es ist das Schwierigste, was ich je gemacht habe. Ich weiß nicht, was es taugt, womöglich ist es schauderlich. Aber wie immer, ich mache es, ich mache Tausende davon.«

3

1. *Porträt eines Malers,* nach El Greco, 1950
Öl auf Sperrholz, 100 x 81 cm
Sammlung Rosengart, Luzern.

2. *Porträt Jorge Manuel,* Sohn des Malers, 1600–1605 (El Greco)
Öl auf Leinwand, 81 x 65 cm
Museo de Bellas Artes, Sevilla

3. *Der Raub der Sabinerinnen,* 1799 (David)
Öl auf Leinwand, 386 x 520 cm
Musée du Louvre, Paris

4. *Der Raub der Sabinerinnen,* 1962–1963
Öl auf Leinwand
Boston, Museum of Fine Arts

»Les Meninas? Was für ein Bild! Da ist er ganz wahrhaftiger Maler der Wirklichkeit.«

Um das Thema der *Meninas* zu bewältigen, benötigte Picasso achtundfünfzig Variationen. Vielleicht war der Maler der *Demoiselles d'Avignon* in der Umformung nie weiter gegangen als hier. Sehr schnell wird ihm klar, daß er, wenn er das Atelier von Velázquez malen will, als erstes sein eigenes aufgeben muß. Deshalb verläßt er im August 1957 sein Atelier im Erdgeschoß und zieht sich in das oberste Geschoß der Villa zurück. Hier, in diesem Refugium, kreuzt er die Klingen mit Velázquez, diesem »wahrhaftigen Maler der Wirklichkeit«.

Im ersten Bild vom 17. August stößt er das Werk des Meisters von Grund auf um. Die Gestalt des spanischen Malers ist so groß geworden, daß sie die Decke berührt, die Silhouette des Königs erscheint lächerlich im Spiegel, der Basset Lump hat den königlichen Hund abgelöst. Dann kommen die beiden

1

Hofdamen und der Zwerg an die Reihe, die durch äußerste Stilisierung ins Lächerliche gezogen werden. Die Parodie verschwindet bei der Infantin; das Gemälde wird ernsthafter, bisweilen ans Tragische reichend. Picasso hat die Raumhöhe des Atelier gesenkt, hat ihm ein Querformat aufgezwungen. Mehr noch als den *Raub der Sabinerinnen*, das *Frühstück im Freien* und die *Demoiselles du bord de la Seine* macht Picasso sich *Las Meninas* zu eigen.

1. *Las Meninas,* nach Velázquez, 1957
Öl auf Leinwand, 194 x 260 cm
Museo Picasso, Barcelona

2. *Las Meninas,* 1656 (Velázques)
Öl auf Leinwand, 318 x 276 cm
Museo del Prado, Madrid

Die Skizzenbücher

1

Picasso trennte sich nie von seinen Skizzenbüchern. Ob im Café, auf dem Spaziergang oder bei der Corrida, er zeichnete unentwegt; dabei wurde ihm eine Kurve zur Frau, ein Faltenwurf zur kostümierten Figur, eine Ziegelmauer zum Bühnenbild.

Es handelt sich um überaus vollendete Farb- und Schwarzweißzeichnungen, aber auch um flüchtige Skizzen, schlichte Anhaltspunkte für die Imagination des Malers.

Bei seinem Tod wurden an solchen Werkzeugnissen Picassos hundertfünfundsiebzig Bücher unterschiedlicher Größe entdeckt, siebentausend Zeichnungen von 1894 bis 1967, und ebenso viele ›Tagebücher‹.

»Ich will den Akt ›sagen‹: Ich will nicht nur Brust sagen, Fuß, Hand, Bauch sagen. (...) Ich will den Akt nicht von Kopf bis Fuß malen, sondern sagen können: das ist es, was ich will. Beim Sprechen genügt ein Wort. Hier, ein einziger Blick, und der Akt sagt Dir, was er ist, ohne Sätze.«

1. *Skizzenbuch*, 5. April 1962
Datierung Jacqueline Picasso
Musée Picasso, Paris

2. *Skizzenbuch*, 1. Juni 1966
Musée Picasso, Paris

143

Die Erotika

1

<M>ehr als bei jedem anderen Künstler
entstand Picassos Werk im Rhythmus leiden-
schaftlicher Liebe, die seinem Leben den Takt
gab. Mit Germaine erlebte er die Boheme von
Montmartre; mit Fernande gelangte er von
der blauen Tristesse zum Lebensglück der
Rosa Periode, um dann in den *Demoiselles
d'Avignon* jäh mit der traditionellen Malweise
zu brechen; die sanfte, einfühlsame Eva, die
ihm der Tod mitten im Krieg nahm, beglei-
tete ihn bei der Erkundung des Kubismus; mit
Olga, der jungen Tänzerin der »Ballets russes«,
kehrte er ›zurück zur Ordnung‹; Marie-Thérèse
versprach er, gemeinsam mit ihr »große
Dinge zu machen«; Dora Maar war während
des spanischen Bürgerkriegs und der Besat-
zung die Gefährtin seines politischen Engage-
ments; mit Françoise Gilot verlebte er die
Nachkriegszeit; und schließlich war da die
Gemahlin seiner Vollendung, Jacqueline, die
ihn nicht überleben konnte. Am Ende seines
Lebens angekommen, radiert Picasso hun-
dertvierundfünfzig erotische Platten: Man
muß schon von Picassos Werk keine Ahnung
haben, um sich vorzustellen, er sei hier der
Impotenz des hohen Alters oder irgendeiner
senilen Obsession erlegen. Seine Radierungen sind die blendende Rekapitulation jener
Passagen im Liebesleben, wo die Gefährtin
Modell wird, und das Modell »etwas anderes«,
wie er sagte. Auf den Tod zugehend erkennt
Picasso, daß selbst die scheinbar fügsamste
Frau ihm nicht das Geheimnis liefern wird,
das er ihr abverlangt.

2

3

1 bis 3.
Am Ende seines langen
Lebens, 1970 bis 1972,
kehrt Picasso mit Degas
zum Bordell seiner
Jugendjahre zurück. Viel-
leicht in Erinnerung an
eine nackte Frau bei der
Toilette, auf die er 1901 in
den Pastellen von Degas
gestoßen war, bekräftigt
der alte Picasso, daß er
von seiner Macht über die
Frauen und über seine
Kunst nichts verloren hat.
Dennoch vergehen nur
drei Monate, bis er sein
Selbstporträt im Angesicht
des Todes malt.

1. 1971
Radierung, 23 x 31 cm

2. 1971,
Radierung, 37 x 50 cm

3. *Selbstporträt*, 1972
Kreide und Farbstift, 65,7 x 50,5 cm

Zwanzig Jahre lang steht Jacqueline Picasso zur Seite, als Gemahlin, Muse, Geliebte, hütet aber auch den Raum, in dem der Maler sich entfaltet, liest ihm den kleinsten Wunsch von den Lippen ab. »Wenn ich einatme, atmet sie ein. Sie liebt mich zu sehr«, bekennt Picasso, und setzt sofort hinzu: »Meine Frau ist wundervoll.« Picasso malt Jacqueline ohne Unterlaß. Im Jahr 1962 entstehen nicht weniger als zweiundsechzig Porträts seiner Frau, die jedoch für keines davon Modell gesessen hat. Das Leben ist sanft und heiter in Vauvenargues, der Villa ›La Californie‹ in Cannes, Notre-Dame-de-Vie in Mougins. Das Paar geht kaum noch aus und empfängt wenig Besuch. Jacqueline fürchtet aufdringliche Besucher. Die beiden Eheleute genügen sich selbst. Sie schöpfen ihr Glück aus der Liebe, die sie miteinander verbindet. Ihre Isolation nimmt noch zu, als Picasso 1964 für Françoise und die gemeinsamen Kinder Claude und Paloma endgültig die Türe schließt: Françoise hat das Tagebuch ihres gemeinschaftlichen Lebens veröffentlicht, was Picasso ihr nie verziehen hat. Am 8. April 1973 fällt Picasso in Agonie. Jacqueline fürchtet sich: »Er wird mich doch nicht verlassen? Er wird mich doch nicht verlassen?« Picasso stirbt wenige Stunden später. Die Ärzte stellen den Tod des Malers fest, aber

»Es ist genug, oder? Was muß ich noch mehr tun? Was kann ich dem noch hinzufügen? Alles ist gesagt.«

Jacqueline weigert sich beharrlich, sich ins Unabänderliche zu schicken. Jemand im Zimmer hustet, sie fährt auf – »Das ist er, ich erkenne seine Stimme« – und zwingt den Arzt, Picasso den Puls zu fühlen. Jacqueline hat Picassos Tod nie akzeptiert. Ihr Leben wurde eine lange Irrfahrt, die weder Ruhm noch Reichtum fröhlicher machen konnte.

Am 15. Oktober 1986 legt Jacqueline sich ein letztes Mal auf das Bett, das sie mit Picasso geteilt hat, und drückt auf den Abzug eines Revolvers.

In der ganzen Geschichte der Malerei war nie ein Maler so sehr mit seiner Kunst eins wie er, der sich unaufhörlich wandelte und eine Ausdrucksform sofort ablegte, wenn er glaubte, ihren Mechanismus begriffen und ihre Technik bewältigt zu haben. Blaue und Rosa Periode, die Zeit von Gósol, Kubismus, Papiers collés, Abstraktion, Plastik, Keramik – lauter unterschiedliche Epochen, die ebenso gut das Werk unterschiedlicher Künstler sein könnten. Picassos Genie liegt in dieser Vielfalt, dieser permanenten Entladung, die ganz ohne Zweifel der Schmelztiegel der Malerei zukünftiger Epochen ist.

1

1 und 3.
Jacqueline wurde Picassos einziges Modell, das er unablässig malte. Allein im Jahre 1962 schuf der Maler mehr als sechzig Porträts der Frau, die ihn liebte wie einen Gott.

2.
Im September 1956 telephoniert Picasso mit Kahnweiler und verkündet, er habe Sainte-Victoire gekauft. »Was für eins?«, fragt der Kunsthändler zurück, der an eines von

2

Cézannes Bildern denkt. »Das wahre«, erwidert Picasso, der soeben das Schloß Vauvenargues am Fuß der Montagne Sainte-Victoire erstanden hat und jedem an den Kopf wirft, der es hören will: »Ich wohne bei Cézanne!«. Dort, am Fuße der großen Steintreppe, wird er am 10. April 1973 beigesetzt.

3. *Jacqueline im Atelier*, 1957
Öl auf Leinwand, 63,5 x 80,8 cm
Musée Picasso, Paris

Katalog weiterer wichtiger Werke

1. *Porträt Jaime Sebartés (Le Bock),* 1901
Öl auf Leinwand, 82 x 66 cm
Puschkin-Museum, Moskau

2. *Casagemas im Sarg,* 1901
Öl auf Papier, 72,5 x 57,8 cm
Nachlaß Picasso

3. *Porträt des toten Casagemas,* 1901
Öl auf Papier, 52 x 34 cm
Nachlaß Picasso

4. *Zwei Gaukler (Harlekin und Gefährte),* 1901
Öl auf Leinwand, 73 x 60 cm
Puschkin-Museum, Moskau

5. *Das Kind mit der Taube,* 1901
Öl auf Leinwand, 73 x 54 cm
Privatsammlung, London

6. *Mutter und Kind,* 1901
Öl auf Leinwand, 46 x 43 cm
Metropolitan Museum of Art, New York.

7. *Mutter und Kind,* 1901
Pastell auf Papier, 46,5 x 31 cm
Privatsammlung

8. *Mutter und Kind,* 1901
Öl auf Leinwand, 91,5 x 60 cm
Privatsammlung, Los Angeles

9. *Selbstporträt,* 1901
Öl auf Leinwand, 81 x 60 cm
Musée Picasso, Paris

10. *Hockende,* um 1902
Öl auf Leinwand, 63,5 x 50 cm
Privatsammlung, Stockholm

11. *Die schlafende Trinkerin,* 1902
Öl auf Leinwand, 80 x 62 cm
Privatsammlung, Schweiz

12. *Die Tote,* 1902
Öl auf Leinwand, 55 x 38 cm
Stiftung Reventos, Barcelona

13. *Die Begegnung (Die beiden Schwestern),* 1902
Öl auf Leinwand, 152 x 100 cm
Eremitage, Leningrad

14. *Frau mit Haarlocke,* 1903
Aquarell auf Papier, 50 x 37 cm
Museo Picasso, Barcelona

15. *Frauenkopf,* 1903
Gouache auf Leinwand, 36 x 27 cm
Privatsammlung, Paris

16. *Porträt des Schneiders Soler,* 1903
Öl auf Leinwand, 100 x 70 cm
Eremitage, Leningrad

17. *Porträt Madame Soler,* 1903
Öl auf Leinwand, 100 x 73 cm
Neue Pinakothek, München

18. *Die Familie Soler,* 1903
Öl auf Leinwand, 150 x 200 cm
Musée des Beaux-Arts, Liège.

19. *Arme Leute am Meeresstrand,* 1903
Öl auf Leinwand, 105,5 x 69 cm
National Art Gallery (Sammlung Dale), Washington

20. *Das Leben,* 1903
Bleistift, 26,7 x 19,7 cm
Privatsammlung, London

21. *Der alte Jude (Der Greis),* 1903
Öl auf Leinwand, 125 x 92 cm
Puschkin-Museum, Moskau

22. *Der alte Gitarrenspieler,* 1903
Öl auf Holz, 121 x 82 cm
Art Institute, Chicago

23. *Der Blinde,* 1903
Gouache auf Leinwand, 51,5 x 34,5 cm
Fogg Art Museum, Harvard University, Cambridge (Mass.)

24. *Der Asket,* 1903
Öl auf Leinwand, 130 x 97 cm
Stiftung Barnes, Merion

25. *Célestine,* 1903
Öl auf Leinwand, 70 x 56 cm
Musée Picasso, Paris

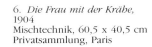

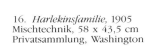

1. *Mutter und Kind mit Hals-tuch,* 1903
Pastell auf Papier, 47,5 x 41 cm
Museo Picasso, Barcelona

2. *Das Paar (Die Elenden),* 1904
Öl auf Leinwand, 100 x 81 cm
Privatsammlung, Ascona

3. *Die Büglerin,* 1904
Pastell auf Papier, 37 x 51,5 cm
Privatsammlung, New York

4. *Die Büglerin,* 1904
Öl auf Leinwand, 116 x 72,5 cm
Solomon R. Guggenheim
Museum (Stiftung Thannhauser),
New York

5. *Die Frau mit dem Haarhelm (Die Frau des Akrobaten),* 1904
Gouache auf Zeichenkarton,
43 x 31 cm
Art Institute, Chicago

6. *Die Frau mit der Krähe,* 1904
Mischtechnik, 60,5 x 40,5 cm
Privatsammlung, Paris

7. *Porträt Suzanne Bloch,* 1904
Mischtechnik, 14,5 x 13,5 cm
Privatsammlung, Ascona

8. *Porträt Suzanne Bloch,* 1904
Öl auf Leinwand, 65 x 54 cm
Museu del Arte, Sao Paulo

9. *Die beiden Freundinnen,* 1904
Gouache auf Papier, 55 x 38 cm
Privatsammlung, Paris

10. *Die beiden Freundinnen,* 1904
Aquarell auf Papier, 27 x 37 cm
Privatsammlung, Paris

11. *Betrachtung (Meditation),* 1904
Mischtechnik, 37 x 27 cm
Privatsammlung, New York

12. *Hochzeit der Pierrette,* 1904
Öl auf Leinwand, 95 x 145 cm
Privatsammlung, Japan

13. *Der Schauspieler,* um 1904
Öl auf Leinwand, 194 x 112 cm
Metropolitan Museum of Art,
New York

14. *Frau im Hemd,* 1905
Öl auf Leinwand, 72,5 x 60 cm
Tate Gallery, London

15. *Junger Akrobat mit Kind,* 1905
Mischtechnik, 23,5 x 18 cm
Solomon R. Guggenheim
Museum (Stiftung Thannhauser),
New York

16. *Harlekinsfamilie,* 1905
Mischtechnik, 58 x 43,5 cm
Privatsammlung, Washington

17. *Akrobatenfamilie,* 1905
Gouache auf Papier, 22 x 29 cm
Privatsammlung, Deutschland

18. *Akrobatenfamilie mit einem Affen,* 1905
Mischtechnik, 105 x 75 cm
Konstmuseum, Göteborg

19. *Mutter mit Kind,* 1905
Gouache auf Leinwand,
90 x 71 cm
Staatsgalerie, Stuttgart

20. *Akrobat und junger Harlekin,* 1905
Gouache auf Karton, 105 x 76 cm
Privatsammlung, Belgien

21. *Der Athlet,* 1905
Gouache auf Karton, 54 x 44 cm
Privatsammlung, Paris

22. *Der Narr,* 1905
Gouache auf Karton, 70 x 54 cm
Privatsammlung, Paris

23. *Zwei Harlekine (Komödianten),* 1905
Öl auf Leinwand, 190,5 x 108 cm
Stiftung Barnes, Merion

24. *Gauklerfamilie,* 1905
Mischtechnik, 24 x 30,5 cm
Museum of Art (Sammlung Cone), Baltimore

25. *Clown und junger Akrobat,* 1905
Mischtechnik, 66 x 56 cm
Privatsammlung, USA

1. *Clown und junger Akrobat,* 1905
Mischtechnik, 60 x 47 cm
Museum of Art, Baltimore

2. *Studie zu ›Die Gaukler‹,*1905
Gouache auf Papier, 51 x 61 cm
Puschkin-Museum, Moskau

3. *Frau von der Insel Mallorca (Studie zu ›Die Gaukler‹),* 1905
Gouache auf Karton, 67 x 51 cm
Puschkin-Museum, Moskau

4. *Junge Kunstreiterin,* 1905
Gouache auf Papier, 59 x 78 cm
Nachlaß Picasso

5. *Harlekin, zu Pferd sitzend,* 1905
Öl auf Papier, 100 x 69 cm
Privatsammlung, New York

6. *Der Tod des Harlekin,* 1905
Gouache auf Karton, 65 x 95 cm
Privatsammlung, Washington

7. *Die drei Holländerinnen,* 1905
Gouache auf Papier, 76 x 66 cm
Musée National d'Art Moderne, Paris

8. *Porträt Madame Canals,* 1905
Öl auf Leinwand, 90,5 x 70,5 cm
Museo Picasso, Barcelona

9. *Knabe mit Pfeife,* 1905
Öl auf Leinwand, 99 x 79 cm
Privatsammlung, New York

10. *Junges Mädchen mit Blumenkorb,* 1905
Öl auf Leinwand, 152 x 65 cm
Privatsammlung, New York

11. *Knabe in Blau,* 1905
Gouache auf Papier, 99,5 x 55,5 cm
Privatsammlung, New York

12. *Porträt Leo Stein,* 1906
Gouache auf Papier, 27,5 x 17 cm
Museum of Art (Sammlung Cone), Baltimore

13. *Akt eines Pferdeführers,* 1905–1906
Öl auf Leinwand, 221 x 130 cm
Privatsammlung, New York

14. *Pferde in der Schwemme,* 1906
Gouache auf Papier, 37,5 x 58 cm
Art Museum, Worcester

15. *Frauenkopf: Fernande,* 1906
Gouache auf Leinwand, 37,5 x 33 cm
Privatsammlung, USA

16. *Akt mit aneinandergepreßten Händen,* 1906
Gouache auf Leinwand, 96 x 75,5 cm
Privatsammlung, Toronto

17. *Zwei Brüder, von vorne gesehen,* 1906
Gouache auf Papier, 80,5 x 60 cm
Musée Picasso, Paris

18. *Die beiden Brüder,* 1906
Öl auf Leinwand, 142 x 97 cm
Kunstmuseum, Basel

19. *Zwei Jünglinge,* 1906
Öl auf Leinwand, 151,5 x 93,5 cm
National Gallery of Art (Sammlung Dale), Washington

20. *Fernande mit Kopftuch,* 1906
Mischtechnik, 66 x 49,5 cm
Virgina Museum of Fine Art (Sammlung Catesby Jones), Richmond

21. *Junger Spanier,* 1906
Mischtechnik, 61,5 x 48 cm
Konstmuseum, Göteborg

22. *Häuser in Gósol,* 1906
Öl auf Leinwand, 54 x 38,5 cm
Statens Museum for Kunst, Kopenhagen

23. *Ansicht von Gósol,* 1906
Öl auf Leinwand, 70 x 99 cm
Privatsammlung, New York

24. *Kuhhirt mit kleinem Korb,* 1906
Gouache auf Papier, 62 x 47 cm
Gallery of Art, Columbus

25. *Die Brotträgerin,* 1906
Öl auf Leinwand, 100 x 70 cm
Museum of Art, Philadelphia

1. *Liegender Akt,* 1906
Gouache auf Papier,
47,5 x 61,5 cm
Museum of Art, Cleveland

2. *Akt mit Krug,* 1906
Öl auf Leinwand, 100 x 81 cm
Privatsammlung, London

3. *Selbstporträt mit Palette,*
1906
Öl auf Leinwand, 92 x 73 cm
Museum of Art (Sammlung Gallatin), Philadelphia

4. *Akt auf rotem Grund
(Akt einer jungen Frau mit offe-
nem Haar),* 1906
Öl auf Leinwand, 81 x 54 cm
Musée de l'Orangerie, Paris

5. *Frauenakte, einander
haltend,* 1906
Öl auf Leinwand, 151 x 100 cm
Privatsammlung, Schweiz

6. *Selbstporträt (Brustbild eines
Mannes),* 1906
Öl auf Leinwand, 65 x 54 cm
Musée Picasso, Paris

7. *Selbstporträt,* 1907
Öl auf Leinwand, 50 x 46 cm
Narodni Galerie, Prag

8. *Töpfe und Zitronen,* 1907
Öl auf Leinwand, 55 x 46 cm
Privatsammlung, London

9. *Stilleben mit Totenkopf,* 1907
Öl auf Leinwand, 116 x 89 cm
Eremitage, Leningrad

10. *Akt mit Handtuch,* 1907
Öl auf Leinwand, 116 x 89 cm
Privatsammlung, Paris

11. *Studie zu ›Freundschaft‹,*
1907–1908
Gouache auf Papier, 61 x 47 cm
Eremitage, Leningrad

12. *Studie zu ›Freundschaft‹,*
1907–1908
Gouache auf Papier, 61 x 41 cm
Eremitage, Leningrad

13. *Freundschaft,* 1908
Öl auf Leinwand, 152 x 101 cm
Eremitage, Leningrad

14. *Liegender Frauenakt und
Figuren,* 1908
Öl auf Leinwand, 36 x 63 cm
Nachlaß Picasso

15. *Obstschale und Früchte,*
1908
Gouache auf Holz, 21 x 27 cm
Kunstmuseum, Basel

16. *Frauenkopf,* 1908
Öl auf Holz, 27 x 21 cm
Privatsammlung, Paris

17. *Brustbild eines Mannes,*
1908
Öl auf Leinwand, 61 x 46 cm
Museum of Modern Art,
New York

18. *Drei Frauen,* 1908
Öl auf Leinwand, 200 x 179 cm
Eremitage, Leningrad

19. *Studie zu ›Drei Frauen‹,*
1908
Gouache auf Papier, 48 x 58 cm
Museum of Art, Philadelphia

20. *Studie zu ›Drei Frauen‹,*
1908
Aquarell und Bleistift auf
Papier, 46 x 59 cm
Museum of Modern Art,
New York

21. *Studie zu ›Drei Frauen‹,*
1908
Gouache auf Papier, 51 x 48 cm
Musée National d'Art Moderne,
Paris

22. *Drei Frauen,* 1908
Öl auf Leinwand, 91 x 91 cm
Privatsammlung, Paris

23. *Dryade (Akt im Wald),*
1908
Öl auf Leinwand, 185 x 106 cm
Eremitage, Leningrad

24. *Frau mit Mandoline,* 1908
Öl auf Leinwand, 100 x 81 cm
Privatsammlung, Paris

25. *Obstschale,* 1908–1909
Öl auf Leinwand, 73 x 60 cm
Museum of Modern Art,
New York

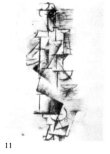

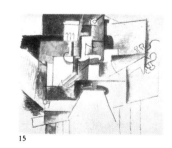

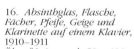

1. *Porträt Clovis Sagot,* 1909
Öl auf Leinwand, 82 x 66 cm
Kunsthalle, Hamburg

2. *Mandoline spielende junge Frau,* 1909
Öl auf Leinwand, 92 x 73 cm
Eremitage, Leningrad

3. *Die Fabrik in Horta del Ebro,* 1909
Öl auf Leinwand, 53 x 60 cm
Eremitage, Leningrad

4. *Landschaft mit Brücke,* 1909
Öl auf Leinwand, 81 x 100 cm
Narodni Galerie, Prag

5. *Frauenakt,* 1909
Öl auf Leinwand, 92 x 73 cm
Privatsammlung, Frankreich

6. *Akt im Sessel,* 1909
Öl auf Leinwand, 92 x 73 cm
Privatsammlung, Frankreich

7. *Hommage an Gertrude,* 1909
Tempera auf Holz, 21 x 27 cm
Privatsammlung, New York

8. *Frau in Grün,* 1909
Öl auf Leinwand, 99 x 80 cm
Stedelijk van Abbemuseum, Eindhoven

9. *Frauenakt, im Sessel sitzend,* 1909
Öl auf Leinwand, 92 x 73 cm
Eremitage, Leningrad

10. *Porträt Ambroise Vollard,* 1909
Öl auf Leinwand, 92 x 65 cm
Puschkin-Museum, Moskau

11. *Frauenakt,* 1910
Kohle auf Papier, 48,4 x 31,3 cm
Metropolitan Museum, New York

12. *Frauenakt,* 1910
Tusche und Aquarell auf Papier,
30 x 12 cm
Privatsammlung, New York

13. *Porträt Wilhelm Uhde,* 1910
Öl auf Leinwand, 81 x 60 cm
Privatsammlung, Saint-Louis

14. *Frauenakt,* 1910
Öl auf Leinwand, 187,3 x 61 cm
National Gallery, Washington

15. *Geige mit Flasche,* 1910–1911
Bleistift, mit Benzin verdünnt,
50 x 64,5 cm
Musée National d'Art Moderne, Paris

16. *Absinthglas, Flasche, Fächer, Pfeife, Geige und Klarinette auf einem Klavier,* 1910–1911
Öl auf Leinwand, 50 x 130 cm
Privatsammlung, Paris

17. *Mandoline und Pernod,* 1911
Öl auf Leinwand, 33 x 46 cm
Privatsammlung, Prag

18. *Der Mandolinenspieler,* 1911
Öl auf Leinwand, 100 x 65 cm
Privatsammlung, Basel

19. *Zeitung, Pfeife und Glas,* 1911
Öl auf Leinwand, 26 x 22 cm
Nachlaß Picasso

20. *Die Klarinette,* 1911
Öl auf Leinwand, 61 x 50 cm
Narodni Galerie, Prag

21. *Der Torero,* 1911
Öl auf Leinwand, 46 x 38 cm
Museum of Modern Art,
New York

22. *Landschaft in Céret,* 1911
Öl auf Leinwand, 65 x 50 cm
Solomon R. Guggenheim
Museum, New York

23. *Die Bouillon »Kub«,* 1912
Öl auf Leinwand, 27 x 21 cm

24. *Geige, Glas, Pfeife und Tintenfaß,* 1912
Öl auf Leinwand, 81 x 54 cm
Narodni Galerie, Prag

25. *Die Marc-Flasche (Ma Jolie),* 1912
Öl auf Leinwand, 73 x 60 cm

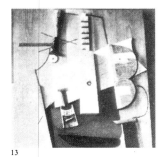

1. *Klarinette, Geige, Obstschale mit Früchten, Notenpapier, Tischchen*, 1912
Öl auf Leinwand,

2. *Glas und Flasche*, 1912
Bleistift und Papier collé auf Papier, 47 x 62,5 cm
Privatsammlung, Huston

3. *Die Vieux-Marc-Flasche*, 1912
Bleistift, Papier collé,
47 x 62,5 cm
Nachlaß Picasso

4. *Die Gitarre (Ich liebe Eva)*, 1912
Öl auf Leinwand, 41 x 33 cm
Nachlaß Picasso

5. *Flasche, Ei und Taube auf einem Tisch*, 1912
Tusche auf Papier, 13 x 8,5 cm
Nachlaß Picasso

6. *L'Aficionado*, 1912
Öl auf Leinwand, 135 x 82 cm
Kunstmuseum, Basel

7. *Gitarre*, 1912
Konstruktion aus beigem, blauem und schwarzem Papier,
33 x 17 cm
Nachlaß Picasso

8. *Gitarre*, 1912
Blechskulptur, 78 x 35 x 18,5 cm
Museum of Modern Art,
New York

9. *Gitarre*, 1912
Konstruktion aus Papier,
24 x 14 cm
Nachlaß Picasso

10. *Zeitung, Bass-Flasche und Gitarre*, 1912–1913
Kohle und Papier collé

11. *Die Vieux-Marc-Flasche*, 1913
Kohle und Papier collé,
63 x 49 cm
Musée National d' Art Moderne, Paris

12. *Geige*, 1913
Öl und Gips auf Karton,
51 x 30 x 4 cm
Nachlaß Picasso

13. *Bass-Flasche und Gitarre*, 1913
Öl auf Leinwand, 148 x 99 cm
Privatsammlung, New York

14. *Frau im Hemd, in einem Sessel sitzend*, 1913
Öl auf Leinwand, 148 x 99 cm
Privatsammlung, New York

15. *Pfeife, Glas, Spielkarte und Gitarre (Ma Jolie)*, 1914
Öl auf Leinwand, 45 x 40 cm
Privatsammlung, Paris

16. *Obstschale mit Früchten, Mandoline und Glas auf einem Tisch in einer Landschaft*, 1915
Öl auf Leinwand, 62 x 75 cm
Privatsammlung, Paris

17. *Auf einem Tisch aufgestützter Mann*, 1915–1916
Öl auf Leinwand, 232 x 200 cm
Privatsammlung, Großbritannien

18. *Gitarrenspieler*, 1916
Öl und Sand auf Leinwand,
130 x 97 cm
Moderna Museet, Stockholm

19. *Bühnenvorhang für -Parade-*, 1917
Leimfarbe auf Leinwand,
106 x 172,5 cm
Musée National d'Art Moderne, Paris

20. *Mann im Sessel*, 1918
Öl auf Leinwand, 22 x 16 cm

21. *Harlekin*, 1918
Öl auf Leinwand, 147,3 x 68 cm
Privatsammlung, Saint-Louis

22. *Projekt für den Bühnenvorhang des Balletts -Le Tricorne-*, 1919
Öl auf Leinwand, 36,5 x 35,4 cm
Privatsammlung, New York

23. *Projekt für den Bühnenvorhang des Balletts -Le Tricorne-*, 1919.
Öl auf Leinwand
Privatsammlung, New York

24. *Projekt für den Bühnenvorhang des Balletts -Le Tricorne-*, 1919
Bleistift
Nachlaß Picasso

25. *Studie zum Bühnenbild des Balletts -Pulcinella-*, 1920
Gouache auf Papier

1

6

11

16

21

2

7

12

17

22

3

8

13

18

23

4

9

14

19

24

5

10

15

20

25

1. *Die drei Musikanten
(Musikanten mit Masken)*, 1921
Öl auf Leinwand, 201 x 223 cm
Museum of Modern Art,
New York

2. *Porträt Paulo*, 1924
Öl auf Leinwand, 130 x 97 cm
Musée Picasso, Paris

3. *Porträt Paulo*, 1915
Pastell und Ölkreide auf Leinwand, 24 x 16 cm

4. *Sitzende Frau am Meeres-
ufer*, 1930
Öl auf Leinwand,
163,5 x 129,5 cm
Museum of Modern Art (Stiftung
S. Guggenheim), New York

5. *Marie-Thérèse*, 1936
Öl auf Leinwand, 55 x 46 cm

6. *Frau mit Blumenstrauß*,
1936
Öl auf Leinwand, 73 x 60 cm

7. *Lesendes Mädchen*, 1936
Öl auf Leinwand, 41 x 33 cm

8. *Marie-Théerèse*, 1937
Öl auf Leinwand, 73 x 60 cm

9. *Träumerei*, 1937
Öl auf Leinwand, 92 x 65 cm

10. *Marie–Thérèse vor dem
Fenster*, 1937
Pastell auf Leinwand,
130 x 97 cm

11. *Dora Maar*, 1937
Öl auf Leinwand, 61 x 50 cm

12. *Marie-Thérèse mit roter
Baskenmütze*, 1937
Öl auf Leinwand, 61 x 50 cm

13. *Weinende Frau*, 1937
Öl auf Leinwand, 59,5 x 49 cm
Privatsammlung,
Großbritannien

14. *Marie-Thérèse mit blauem
Hut*, 1938
Öl auf Leinwand, 55 x 46 cm

15. *Stilleben mit rotem Stier*,
1938
Öl auf Leinwand, 73 x 92 cm

16. *Marie-Thérèse*, 1939
Öl auf Leinwand, 65 x 46 cm

17. *Frauenporträt*, 1939
Öl auf Leinwand, 92 x 73 cm

18. *Frau mit Vogel*, 1939
Öl auf Leinwand, 92 x 73 cm

19. *Die emaillierte Kasserolle*,
1945
Öl auf Leinwand, 82 x 106 cm
Musée National d'Art Moderne,
Paris

20. *Stilleben auf einem Tisch*,
1947
Öl auf Leinwand, 100 x 80 cm
Galerie Rosengart, Luzern

21. *Sitzende Frau*, 1948
Öl auf Leinwand, 100 x 81 cm
Galerie Beyeler, Basel

22. *Akt im Atelier*, 1953
Öl auf Leinwand, 89 x 116 cm

23. *Paloma*, 1953
Öl auf Leinwand, 130 x 97 cm

24. *Der sizilianische Karren*,
1953
Öl auf Leinwand, 130 x 97 cm

25. *Porträt Jacqueline Roque
mit Rosen*, 1954
Öl auf Leinwand, 100 x 81 cm
Sammlung Jaqueline Picasso,
Mougins

1. *Hockende Frau in türki-schem Gewand,* 1955
Öl auf Leinwand, 115 x 89 cm
Galerie Perls, New York

2. *Ohne Titel,* 1955
Öl auf Leinwand, 80 x 190 cm

3. *Ohne Titel,* 1955
Öl auf Leinwand, 60 x 190 cm

4. *Ohne Titel,* 1955
Collage und Farbe auf Lein-wand, 80 x 190 cm

5. *Ohne Titel,* 1955
Öl auf Leinwand, 80 x 190 cm

6. *Ohne Titel,* 1955
Öl auf Leinwand, 80 x 190 cm

7. *Das Atelier,* 1956
Öl auf Leinwand, 89 x 111 cm
Privatsammlung, New York

8. *Frau im Atelier,* 1956
Öl auf Leinwand, 65 x 81 cm
Galerie Beyeler, Basel

9. *Hockender Akt,* 1959
Öl auf Leinwand, 146 x 114 cm
Privatsammlung, Zürich

10. *Frau im blauen Sessel,* 1960
Öl auf Leinwand, 129,5 x 97 cm
Galerie Rosengart, Luzern

11. *Badende und Sandschaufel,* 1960
Öl auf Leinwand, 114 x 146 cm

12. *Sitzende Frau mit grünem Schal,* 1960
Öl auf Leinwand, 195 x 130 cm
Privatsammlung, Bremen

13. *Frau mit Hut,* 1961
Öl auf Leinwand, 117 x 89 cm
Galerie Rosengart, Luzern

14. *Maler und Modell,* 1963
Öl auf Leinwand, 195 x 130 cm

15. *Ohne Titel,* 1964
Öl auf Leinwand, 130 x 194 cm

16. *Ohne Titel,* 1964
Öl auf Leinwand, 56 x 35 cm

17. *Ohne Titel,* 1964
Öl auf Leinwand, 194 x 128 cm

18. *Sitzende Frau mit Katze,* 1964
Öl auf Leinwand, 130 x 81 cm
Galerie Beyeler, Basel

19. *Kopf,* 1969
Öl auf Sperrholz, 32 x 36 cm

20. *Mann, Schwert und Blume,* 1969
Öl auf Leinwand, 146 x 114 cm

21. *Der Mann mit Gewehr,* 1969
Öl auf Leinwand, 146 x 114 cm

22. *Harlekin,* 1969
Öl auf Leinwand, 195 x 130 cm

23. *Kuß,* 1969
Öl auf Leinwand, 97 x 130 cm

24. *Jüngling,* 1969
Öl auf Leinwand, 130 x 97 cm

25. *Der junge Maler,* 1972
Öl auf Leinwand, 92 x 73 cm
Musée Picasso, Paris

Zeittafel

	Picassos Leben	Werke
1881	Geburt in Málaga (Spanien) als Sohn des Zeichenlehrers Don José Ruíz Blasco und der Doña Maria Picasso y López	
1898	Erkrankt in Madrid an Scharlach; kehrt erschöpft zurück nach Barcelona, wo er mit der künstlerischen Avantgarde verkehrt	
1901	Picasso läßt sich in Paris, Boulevard de Clichy 130, nieder. Beginn der Blauen Periode	*Selbstporträt. Das blaue Zimmer (La Toilette) Aufgestützter Harlekin. Picasso in Madrid. Die Absinth-Trinkerin*
1902	Ausstellung mit Matisse und Marquet bei Berthe Weill	*Sitzende Frau mit Haube*
1903	Kehrt zurück zu seinen Eltern nach Barcelona. Verbucht ersten Erfolg	*Das Mahl des Blinden. Das Leben*
1904	Läßt sich in Paris im Bateau-Lavoir nieder. Verbindung mit Fernande Olivier. Lernt Guillaume Apollinaire kennen	*Das karge Mahl. Die Frau mit der Krähe. Die Büglerin. Célestine*
1905	Beginn der Rosa Periode. Lernt Gertrude Stein kennen	*Die Gaukler. Der Narr* (Plastik). *Die Frau im Hemd. Au Lapin agile*
1906	Gertrude Stein stellt ihm Matisse vor. Aufenthalt in Gósol. Beginn des Kubismus	*Porträt Gertrude Stein. La Coiffure.* Beginnt *Les Demoiselles d'Avignon*
1907	Begegnet Kahnweiler. Periode des von Cézanne beeinflußten Kubismus. Apollinaire stellt ihm Braque vor	*Drei Frauen. Frauen.* Beendet *Les Demoiselles d'Avignon*
1908	Bankett zu Ehren des Zöllners Rousseau. Beginn seiner Forschungen mit Braque	*Landschaft mit zwei Figuren*
1909	Aufenthalt in Horta del Ebro. Hinrichtung des spanischen Anarchisten Ferrer	*Porträt Fernande*
1910	Aufenthalt in Cadaqués	*Porträt Kahnweiler. Porträt Ambroise Vollard. Frau mit Mandoline. Mann mit Mandoline*
1911	Beginn der Verbindung mit Eva Gouel. Picasso trifft sich in Céret mit dem Bildhauer Manolo	Vier Radierungen für *Saint Matorel* von Max Jacob
1912	Reise nach Sorgues, dann Rückkehr nach Paris. Beginn der Collagen. Übergang vom analytischen zum synthetischen Kubismus	*Stilleben mit Rohrstuhl. Flasche, Glas und Geige. Frauenakt (Ich liebe Eva)*
1913	Läßt sich in der Rue Schoelcher 5 nieder	*Geige. Geige und Obstschale. Mädchenkopf*
1914	Bleibt während des Krieges in Paris. Rückkehr zu lebhafteren Farben und geschmeidigeren Formen	*Tischchen. Ma Jolie. Der Kartenspieler*
1915	Tod Evas im Dezember. Empfängt Besuch von Jean Cocteau	*Harlekin*
1916	Er zieht um nach Montrouge	
1917	Romreise mit Cocteau für Diaghilews Ballett *Parade*, das in Paris durchfällt. Lernt die Ballettänzerin Olga kennen	*Apollinaire mit Kopfverband. Der Gitarrenspieler*
1918	Heiratet Olga Koklowa. Tod seines Freundes Apollinaire. Läßt sich mit Olga in der Rue de la Boëtie 23 nieder	*Die Badenden*
1921	Geburt Paulos	*Die drei Musikanten mit Maske. Die drei Musikanten. Olga laufend* (Sechs Zeichnungen)
1923	Die amerikanische Zeitschrift *The Arts* publiziert das erste wichtige Interview mit ihm. Lernt Breton kennen	*Sitzender Harlekin. Frau mit malvenfarbenem Kleid und Falbel*
1927	Begegnet der siebzehnjährigen Marie-Thérèse Walter	*Frau im Sessel. Badende, eine Kabine öffnend*
1930	Verbringt den Sommer in Juan-les-Pins. Erhält den Carnegie-Preis. Kauft das Schloß von Boisgeloup	*Assemblagen mit Sand.* Illustration der *Metamorphosen Ovids*
1932	Erste Werkschau in der Galerie Georges Petit in Paris. Erster Band des Katalogs von Zervos	
1933	Fernande veröffentlicht ihre Erinnerungen. Entscheidende Krise in der Beziehung zu Olga	*Das Atelier. Weiblicher Torero*
1935	Ende seiner Ehe mit Olga Koklowa. Marie-Thérèse bringt Maya zur Welt. Schreibt Gedichte und befreundet sich mit Paul Eluard	*Die Muse*
1936	Wird Direktor des Prado: »Es ist großartig, ich bin Direktor eines leeren Museums«. Verbindung mit Dora Maar	

Das kulturelle Leben	Geschichte
Manet: *Bar in den Folies-Bergères*. Offenbach: *Hoffmanns Erzählungen*. Verga: *Malavoglia*. Verlaine: *Weisheit*	Aktive französische Kolonialpolitik, Besetzung von Tunis. Zar Alexander II. ermordet, nachfolgend Pogrome gegen Juden
Mackintosh: *Kunstschule in Glasgow*. Rostand: *Cyrano von Bergerac*. Zola: *Ich klage an*	Spanische Niederlage im Amerikanisch-spanischen Krieg. Marie Curie entdeckt das radioaktive Element Radium
Gauguin: *La Maison du jouir*. Gallé gründet die Schule von Nancy. Ravel: *Jeux d'eau*. Mann: *Buddenbrooks*	Tod Königin Victorias. Theodore Roosevelt Präsident der USA. Erster Friedensnobelpreis an Henri Dunant (Gründer des Roten Kreuzes)
Gauguin: *Contes barbares*. Debussy: *Pelleas und Melisande*. Gide: *Der Immoralist*. Croce: *Estetica*. Mélies: *Reise zum Mond*	Alfons XIII. König von Spanien. Grundlegung der ›Apartheid‹ in Südafrika
Gründung der Wiener Werkstätte, des Salon d'Automne. d'Albert: *Tiefland*. Gorki: *Nachtasyl* (dt. Erstaufführung)	Spaltung der russischen Sozialdemokraten in Menschewiken und Bolschewiken. Erster Motorflug der Gebrüder Wright
Matisse: *Luxe, calme et volupté*. Puccini: *Madame Butterfly*. Jack London: *Der Seewolf*	Aufstände gegen deutsche Kolonialherrschaft in Afrika. Russisch-japanischer Krieg wegen Korea und Mandschurei
Cézanne: *Die großen Badenden*. Die ›Fauves‹ im Herbstsalon, ›Brücke‹ in Dresden. Debussy: *La Mer*. Rilke: *Stunden-Buch*	Generalstreik und Bildung des ersten Sowjet (Rat) in Petersburg. Einstein stellt spezielle Relativitätstheorie auf
Beckmann: *Kleine und Große Sterbeszene*. Dérain: *Themse-Serie*. Claudel: *Mittagswende*. Tod Cézannes	Georges Clemenceau französischer Ministerpräsident. Formelle Gründung der Labour-Party. Erdbeben in San Francisco
Klimt: *Danae*. Rousseau: *Die Schlangenbeschwörerin*. Mahler dirigiert Metropolitan Opera New York. Kippling Nobelpreis	2. Haager-Friedenskonferenz. Rasputin gewinnt starken Einfluß am Zarenhof. Erste Farbfotografien der Brüder Lumière
Wright: *Robbie house*. Braque: *Häuser in L'Estaques*. Béla Bartók: *1. Streichquartett* und *Vierzehn Bagatellen für Klavier*	Österreich-Ungarn annektiert Bosnien und Herzegowina. Erste zionistische Kolonie in Palästina
Peter Behrens: *Turbinen-Montagehalle der AEG* in Berlin. Mondrian: *Der rote Baum*. Marinetti: *Futuristisches Manifest*	Briand Ministerpräsident. Anarchistischer Aufstand in Barcelona. Blériot überfliegt den Ärmelkanal
Delaunay: *Der Eiffelturm*. Kandinsky. *Über das Geistige in der Kunst*. Tod des Zöllners Rousseau. Strawinsky: *Feuervogel*	Japan annektiert Korea. Mexikanische Revolution. Erster Dieselmotor für Kraftwagen
Marc Chagall: *Ich und das Dorf*. Kokoschka-Ausstellung in Wien. Apollinaire: *Bestiarium*	Beginn der chinesischen Revolution. Der Norweger Roald Amundsen erreicht den Südpol
De Chirice: *Melancholie einer Straße*. Duchamp: *Akt, eine Treppe herabsteigend*. Kafka: *Die Verwandlung*	Reichstagswahlen: Sozialdemokraten stärkste Partei. Erster Balkankrieg. Untergang der Titanic
Erster deutscher Herbstsalon, Berlin. Strawinsky: *Le Sacre du Printemps*. Proust: *Auf der Suche nach der verlorenen Zeit*	Zweiter Balkankrieg. Albanien unabhängig. Tibet fällt von China ab. H. Geiger: Zähler für Radioaktivität
Delaunay: *Hommage an Blériot*. Marc: *Turm der Blauen Pferde*. Kokoschka: *Die Windsbraut*. Gide: *Die Verliese des Vatikan*	Erzherzog Franz Ferdinand ermordet. Beginn des 1. Weltkriegs. Eröffnung des Panamakanals
Malewitsch: Suprematistisches Manifest (metaphysische Malerei), *Das Schwarze Quadrat*. David W. Griffith: *Birth of a Nation*	Kriegseintritt Italiens. Die Futuristen stellen ein Fahrradbataillon Freiwilliger zusammen. Einsatz von Kampfgas
Wilhelm Lehmbruck: *Gestürzter*. Romain Rolland erhält Nobelpreis. Die Dada-Bewegung entsteht im Züricher Cabaret Voltaire.	Kampf um Verdun. Ermordung Rasputins. Einführung der Gasmaske und des Stahlhelms im deutschen Heer. Erste Panzer
Mondrian begründet den Neoplastizismus. Kokoschka: *Mörder, Hoffnung der Frauen* (Uraufführung)	Russische Oktoberrevolution. Hungersnot in Deutschland. USA erklärt Deutschland den Krieg. Erschießung Mata Haris
George Grosz: *Leichenbegängnis*. Jacob van Hoddis: *Weltuntergang*. Tod Apollinaires	Waffenstillstand am 11. November. November-Revolution in Deutschland. Weltweite Grippeepidemie
Mendelsohn: *Einsteinturm* bei Potsdam. Klee und Schlemmer am Bauhaus. Hašek: *Schwejk*	Irland wird Freistaat. Gründung der Kommunistischen Partei Chinas. Erstes Auftreten der SA
Milhaud, Cendrars, Léger: *Création du Monde*. Arnold Schönberg: reine zwölftönige Kompositionstechnik. Tod Prousts	Gescheiterter Putsch Hitlers und Ludendorffs in München. Staatsstreich in Spanien; Aufhebung der demokratischen Verfassung
Weißenhof-Siedlung in Stuttgart. Heidegger: *Sein und Zeit*. Abel Gance: *Napoleon*. Disney: *Mickey Mouse*	Erster Fünfjahresplan in der UdSSR. Bruch zwischen der Kuomintang und den Kommunisten Chinas. Lindbergh überfliegt Nordatlantik
Rouault: *Die Passion* und *Der Zirkus*. Zweites Surrealistisches Manifest. Malraux: *Der Königsweg*. Buñuel: *L'Age d'Or*	Räumung des Rheinlandes durch die alliierten Truppen. Die NSDAP zweitstärkste Fraktion im Reichstag. Maginot-Linie
Beckmann beginnt *Abfahrt-Triptychon*. Huxley: *Brave New World*. Mounier gründet die Zeitschrift *Esprit*	Salazar portugiesischer Ministerpräsident mit autoritärem Regime (bis 1968). Neuer US Präsident Franklin Roosevelt
Matisse: *Der Tanz*. Rouault: *Das heilige Antlitz*. Bauhaus aufgelöst. Malraux: *Conditio humana*. Lorca: *Bluthochzeit*	Ernennung Hitlers zum Reichskanzler. Errichtung der ersten Konzentrationslager
Dali: *Brennende Giraffe*. Giraudoux: *Der trojanische Krieg findet nicht statt*. Gershwin: *Porgy and Bess*	Nürnberger Gesetze, (›Rassenschande‹). Friedensnobelpreis an von Ossietzky. In Berlin erstes regelmäßiges Fernsehprogramm
Dali: *Weiche Konstruktion mit gekochten Bohnen* (Vorahnung des Bürgerkriegs). Chaplin: *Moderne Zeiten*	Beginn des spanischen Bürgerkriegs. Säuberung unter Stalin (bis 1938). Olympische Spiele in Berlin

Picassos Leben	Werke
1937 Neues Atelier in Paris, Rue des Grands-Augustins 7. Ferien in Mougin mit den Eluards	*Guernica* auf der Weltausstellung. *Die Flehende. Die weinende Frau. Porträt Marie-Thérèse*
1938 Leidet unter dem Streit zwischen Breton und Eluard	Stellt *Guernica* in London aus. *Maya mit Puppe. Frauenakt auf Stuhl. Frau im Garten*
1939 Tod seiner Mutter und Vollards. Fährt mit Dora und Sabartés nach Antibes. Bei Marie-Thérèse und Maya in Royan	*Brustbild einer Frau mit gestreiftem Hut. Nächtlicher Fischfang in Antibes*
1940 Sommer in Royan, im September Rückkehr nach Paris, Rue des Grands-Augustins	*Café in Royan. Sich frisierender Frauenakt*
1941 Schreibt *Wie man Wünsche beim Schwanz packt*. Nimmt plastische Arbeit wieder auf	*Skulptur von Dora (Monument für Apollinaire). Frau mit blauem Mieder*
1943 Fast alleiniger Trauergast beim Begräbnis von Soutine, dem ›jüdischen Maler‹. Lernt Françoise Gilot kennen	*Das Fenster. Totenkopf mit Krug. Sitzende Frau im Schaukelstuhl*
1944 Tritt der KPF bei. Wohnt dem Gedächtnisgottesdienst für den in Drancy gestorbenen Max Jacob bei	*Liegender Akt und Frau, sich die Füße waschend. Bacchanal nach Poussin*
1945 Lithographien im Atelier Mourlot	*Das Beinhaus*
1946 Lebt zusammen mit Françoise Gilot im Atelier der Rue des Grands-Augustins. Reist allein in den Süden, trifft Dora	*La joie de vivre. Monument zu Ehren der für Frankreich gestorbenen Spanier*
1947 Schenkt dem neuen Musée d'Art Moderne von Paris zehn Gemälde. Claude geboren	*David und Bathseba*. Illustration für den *Chant des morts* von Reverdy, Lithographien
1948 Läßt sich mit Françoise in der Villa ›La Galloise‹ in Vallauris nieder	
1949 Paloma geboren	Tuschzeichnung der *Taube*, die Plakat für den Pariser Friedenskongreß wird
1950 Kauf der ›Ateliers du Fournas‹ in Vallauris	*Porträt eines Malers* nach El Greco. *Demoiselles des bords de la Seine* nach Courbet
1951 Umzug wegen Requirierung der Wohnung Rue de La Boëtie. Zieht sich von Françoise zurück	*Massaker in Korea. Nächtliche Landschaft*
1954 Begegnet in Vallauris Jacqueline Roque	*Porträt Sylvette. Madame Z.*
1955 Läßt sich mit Jacqueline in ›La Californie‹ nieder. Olga stirbt. Clouzot dreht *Le Mystère Picasso*	*Frauen aus Algier* nach Delacroix. *Nackte Frau im Garten*
1956 Unterzeichnet mit sieben kommunistischen Intellektuellen eine Protestschrift gegen den Einmarsch der UdSSR in Ungarn	
1957 Erhält seinen ersten offiziellen Auftrag: Wandgemälde für das UNESCO-Gebäude in Paris.	*Las Meninas* nach Velázquez (58 Bilder)
1958 Kauf des Schlosses von Vauvenargues am Fuß der Montagne Sainte-Victoire	*Jacqueline lesend. Jacqueline im Profil. Der Fall des Ikarus* (UNESCO)
1959 Einweihung der Kapelle in Vallauris	*Jacqueline mit schwarzem Taschentuch. Jacqueline mit rosa Hut*
1961 Heiratet Jacqueline in Vallauris und läßt sich mit ihr auf seinem Besitz ›Notre-Dame-de-Vie‹ in Mougins nieder	
1963 Eröffnung des Museo Picasso in Barcelona	Serie *Maler und Modell*
1964 Françoise Gilots Buch *Vivre avec Picasso* erscheint	
1966 Pariser Werkschau *Hommage à Picasso*, siebenhundert ausgestellte Werke	*Musketiere*
1968 Sabartés stirbt. Picasso schenkt die Serie *Las Meninas* dem Museo Picasso in Barcelona	*347 erotische Stiche*
1973 Stirbt am 8. April auf ›Notre-Dame-de-Vie‹ in Mougins. Beisetzung am 10. April in Vauvenargues	

Das kulturelle Leben	Geschichte
Klee: *Aufstand der Viadukte*. ›Entartete Kunst‹. Carl Orff: *Carmina burana*. Renoir: *Die große Illusion*	Chamberlain britischer Premierminister. Nordspanien in der Hand Francos.
Benny Goodman in der Carnegie-Hall, New York. Sartre: *Der Ekel*. Artaud: *Das Theater und sein Double*	Deutschland annektiert Österreich. ›Reichskristallnacht‹. Hahn und Straßmann weisen Spaltbarkeit des Urankerns nach
Chagall: Carnegie-Preis. Lala Andersen: *Lili Marleen*. Steinbeck: *Die Früchte des Zorns*.	Deutsch-sowjetischer Nichtangriffspakt. Hitler beginnt 2. Weltkrieg mit Überfall auf Polen
Brancusi: *Aufsteigender Vogel*. Hemingway: *Wem die Stunde schlägt*. Chaplin: *Der große Diktator*	Regierung Pétain im unbesetzten Frankreich, Hauptstadt Vichy. Aufbau der Résistance im besetzten Frankreich
Beckmann: *Perseus-Triptychon*. Brecht: *Mutter Courage* uraufgeführt. Orson Welles: *Citizen Cane*	Deutsche Panzerarmee kommt vor Moskau zum Stehen. Pearl Habour. Die USA treten in den Krieg ein
Erste Ausstellung von Pollock in New York. Sartre: *Das Sein und das Nichts*. St.-Exupéry: *Der kleine Prinz*	Aufstand im Warschauer Getto. Kapitulation der 6. Armee in Stalingrad. Die Alliierten landen in Sizilien und Korsika
Mondrian: *Victory Boogie Woogie*. Sartre: *Bei geschlossenen Türen*	Attentat auf Hitler am 20. Juli. Invasion der Alliierten an der Küste der Normandie. Einzug de Gaulles in Paris
Garcia Lorca: *La Casa de Bernarda Alba* uraufgeführt. Rossellini: *Rom, offene Stadt*	Konferenz von Jalta. Atombombenabwurf auf Hiroshima und Nagasaki. Gründung der Vereinten Nationen (UNO)
Pollock: Action Painting. Sartre: *Ist der Existenzialismus ein Humanismus?* Tod Gertrude Steins.	Erste freie deutsche Wahlen seit 1933 in der US-Zone. Gründung der SED. Nürnberger Kriegsverbrecherprozeß
Gide: Nobelpreis. Camus: *Die Pest*. Genet: *Die Zofen*. T. Williams: *Endstation Sehnsucht*	UNO-Beschluß über Teilung Palästinas in jüdischen und arabischen Staat. USA-Europahilfe (Marshallplan)
Gründung von Cobra. Erstes Jazz-Festival in Antibes. Sartre: *Die schmutzigen Hände*. De Sica: *Fahrraddiebe*	Blockade von Berlin. Proklamation des Staates Israel in Tel Aviv. Gandhi ermordet. Truman amerikanischer Präsident
S. de Beauvoir: *Das andere Geschlecht*. Orwell: *1984*. Camus: *Die Gerechten*	Gründung des Nordatlantik-Paktes (NATO). Gründung von BRD und DDR. Gründung der Volksrepublik China
Pierre Soulages: *Komposition*. Cocteau: *Orphée*. Ionesco: *Die Unterrichtsstunde*. Duvivier: *Don Camillo und Peppone*	Beginn des Koreakrieges (bis 1953). Einmarsch rotchinesischer Truppen in Tibet. Franzosen in Vietnam
Wols: *Das blaue Phantom*. Ch. Parker: *Bird* triumphiert in New York. Mauriac: *Journal*	Europäische Gemeinschaft für Kohle und Stahl (Montanunion) gegründet. Baudouin I. König von Belgien
Jasper Johns: Erstes Flaggenbild. Cage: *Musik für zwei präparierte Klaviere*. Fellini: *La Strada*. Debüt von B. Bardot	Vertreibung Frankreichs aus Indochina. Nasser Präsident Ägyptens (bis 1970). Teilung Vietnams. Algerienkrieg
Erste ›Dokumenta‹ in Kassel. Rauschenberg: *Das Bett*. Le Corbusier: *Ronchamp*. Oelze: *Orakel*	Adenauer in Moskau. Erreicht Freilassung deutscher Kriegsgefangener. Viermächtekonferenz in Genf bringt Entspannungsatmosphäre
Molinier: *Comtesse Midragar*. Zeitschrift *Le Surréalisme, même*. Pollock und Brecht sterben	(2.) Nahost-Krieg (Suez-Krieg) zwischen Israel und Ägypten. Chruschtschow verurteilt Stalin-Kult
Yves Klein beginnt seine ›Blaue Periode‹. Bernstein: *Westside Story*. Robbe-Grillet: *Die Eifersucht*	Römische Vorträge über EWG und EURATOM. Saarland in die Bundesrepublik eingegliedert. Erster russischer Sputnik
Fontana: Erste Schnittbilder. Klapheck: *Die strenge Mutter*. Beckett: *Das letzte Band*	Ch. de Gaulle Ministerpräsident, dann Präsident Frankreichs. Johannes XXIII. zum Papst gewählt. Gründung der NASA
Internationale Surrealismus-Ausstellung Paris: *Eros*. Günter Grass: *Die Blechtrommel*. Jean Genet: *Die Neger*	Sieg der Revolution in Kuba unter Fidel Castro. Aufstand in Tibet niedergeschlagen. Flucht des Dalai-Lama nach Indien
Oldenburg: Soft sculptures. Foucault: *Wahnsinn und Gesellschaft*. Resnais u. Robbe-Grillet: *Letztes Jahr in Marienbad*	Mauerbau der DDR. Rebellion der OAS gegen de Gaulles Algerien-politik scheitert. Gagarin im Weltraum
Triumph der Beatles. Sartre lehnt den Nobelpreis ab.	Deutsch-sowjetischer Freundschaftsvertrag. Organisation für Afrikanische Einheit (OAU). Ermordung Kennedys.
Andy Warhol: *Jackie Kennedy* und *Marilyn Monroe* (Siebdrucke). Peter Weiß: *Die Verfolgung und Ermordung Jean Paul Marats*	Tonking-Zwischenfall, von den USA provoziert. Beginn des Vietnamkriegs. Breschnew Erster Parteisekretär
Zahlreiche Happenings in den USA. Tod Giacomettis. Vargas-Llosa: *Das grüne Haus*. Foucault: *Die Ordnung der Dinge*	Chinesische Kulturrevolution. Erste Bombardierung von Hanoi durch die USA. Überschwemmungskatastrophe in Florenz
Ausstellung Kunst und Maschine im MOMA, New York. Tod Marcel Duchamps. Solschenizyn: *Der erste Kreis der Hölle*	Studentenunruhen. Mai-Aufstand in Paris. Prager Frühling. Robert Kennedy und Martin Luther King ermordet
Graffitti-Maler erobern die U-Bahnhöfe von New York. Ionesco: *Der Einzelgänger*. Visconti: *Ludwig II*.	Staatsstreich Pinochets in Chile. Waffenstillstandsabkommen in Vietnam. Ölboykott der arabischen Länder

Abbildungsverzeichnis der Werke Picassos

	Seite
Die Absinth-Trinkerin	30
Akrobat mit Kugel	45
Das Atelier	88
Atelier des Künstlers, Rue de la Boëtie	76
Au Lapin agile (Harlekin mit Glas)	38
Badende	88
Badende, eine Kabine öffnend	89
Die Badenden	73
Das Beinhaus	117
Das Blaue Zimmer (Die Toilette)	28
Die Brieflektüre	78
Brot und Obstschale auf einem Tisch	55
Brustbild einer Frau mit gestreiftem Hut	103
La Coiffure	46
Corrida	26
Les Demoiselles d'Avignon	50
Les Demoiselles d'Avignon (Skizze)	51
Die drei Musikanten	80
Die drei Musikanten (Musikanten mit Maske)	81
›Els 4 Gats‹, Plakat	22
›Els 4 Gats‹, Speisekarte	22
Erotische Radierungen	144–145
Farbgedicht	90
Flasche, Glas und Geige	60
Die Flehende	101
Französischer Manager (›Parade‹)	68
Frauenakt (Ich liebe Eva)	59
Frau mit blauem Hut	41
Die Frau mit Haarknoten	31
Die Frau mit der Krähe	124
Frau mit malvenfarbenem Kleid und Falbel	78
Die Frauen aus Algier	136–137
Die Gaukler (Gauklerfamilie)	42
Geige	65
Geige und Früchte	63
Geige und Notenblatt	61
Guernica	96–97
Guernica, Vorstudien	98, 99, 100
Handgeschriebenes Gedicht	91
Harlekin	66
Harlekin, Aufgestützter	29
Harlekin vor rotem Hintergrund	44
Im Restaurant	24–25
Jacqueline im Atelier	147
Jacqueline mit verschränkten Händen	133
Das karge Mahl	34
Die Kartenspieler	67
Kniende Frau (Flasche)	125
Kostüm der kleinen Amerikanerin (›Parade‹), Studie	69
Kostüm des Akrobaten (›Parade‹)	68
Der Kuß	135
Landschaft mit zwei Figuren	54
Laufende Frauen am Strand	82–83
Das Leben	33
Das Leben, Studie	32
Das Mahl des Blinden	35
Massaker in Korea	128–129
Maya mit Puppe	109
Las Meninas	140–141
Nächtlicher Fischfang in Antibes	110–111
Der Narr	44
Negermanager (›Parade‹)	68
Olga am Klavier	77
Olgas Salon	77
Picasso als Madrilener	28
Porträt Nusch Eluard	107
Porträt Fernande	57
Porträt Françoise	115
Porträt Françoise (Lithographie)	120–121
Porträt Kahnweiler	53
Porträt Dora Maar	105
Porträt eines Malers nach El Greco	138
Porträt Marie-Thérèse	102
Porträt Maya (Zeichnungen)	108
Porträt der Mutter des Künstlers	21
Porträt Olga	75
Porträt Olga im Sessel	71
Porträt Piere Reverdy	74
Porträt Erik Satie	74
Porträt Igor Strawinsky	74
Porträt Sylvette	131
Der Raub der Sabinerinnen	139
Selbstporträt im Angesicht des Todes	145
Selbstporträt mit widerspenstiger Tolle	22
Sitzende Frau im Hemd, im Sessel sitzend	58
Skizzenbücher	142–143
Spanisches Paar vor einem Wirtshaus	27
Der Stier (Lithographie)	118–119
Stilleben mit Gruyèrekäse	113
Stilleben mit Krug	79
Stilleben mit Rohrstuhl	64
Studien	26
Der Tanz	85
Der Tod Casagemas'	32
Die Toilette	47
Torso	20
Der Tote (Die Grablegung)	32
Der Traum	88
Das Reservoir in Horta del Ebro	54
Die Weinende Frau	93
Wissenschaft und Nächstenliebe	23
Die Ziege	123
Zwei Figuren am Meeresufer	87

Ausgewählte Literatur

André Salmon, *La jeune peinture française*. Paris: Société des Trente, Albert Messein 1912

Guillaume Apollinaire, *Die Maler des Kubismus,* Zürich: Arche 1956 (Französische Originalausgabe: *Les peintres cubistes,* Paris 1913)

Wilhelm Uhde, *Picasso et la tradition française. Notes sur la peinture actuelle.* Paris: Editions des Quatre Chemins 1928

Fernande Olivier, *Neun Jahre mit Picasso. Erinnerungen aus den Jahren 1905 bis 1913.* Zürich: Diogenes 1957 (Französische Originalausgabe: *Picasso et ses amis,* Paris 1933)

Max Raphael, *Prudhon, Marx, Picasso: Trois études sur la sociologie de l'art.* Paris: Excelsior 1933

Gertrude Stein, *Picasso.* Zürich: Arche 1958 (Englische Originalausgabe, London 1938)

Joan Merli, *Picasso. El artista y la obra de nuestro tiempo.* Buenos Aires: El Ateneo 1942

Jaime Sabartés, *Picasso. Gespräche und Erinnerungen.* Zürich: Arche 1956 (Spanische Originalausgabe: *Picasso. Retrates y Recuerdos,* Madrid 1953)

Gino Severini, *Tutta la vita di un pittore.* Rom, Paris und Mailand: Garzanti 1946

Alfred Hamilton Barr, *Picasso, Fifty Years of His Art.* New York: Museum of Modern Art 1946

Max Jacob, *Correspondance I: Quimper-Paris (1876–1921),* Hg. François Garnier. Paris: Editions de Paris 1953

Maurice Jardot, *Picasso. Peintures.* Paris: Musée des Arts Décoratifs 1955

Daniel Henry Kahnweiler u. H. Parmelin, *Picasso. Œuvres des musées de Leningrad et de Moscou.* Paris 1955

Roland Penrose, *Picasso. Leben und Werk.* München: Piper 1961

Antonina Vallentin, *Pablo Picaso.* Köln/Berlin: Kiepenheuer und Witsch 1958

Maurice Raynal, *Picasso.* Genf: Skira 1955 (dt. Ausg.)

Daniel-Henry Kahnweiler, *Meine Maler, meine Galerien.* Köln 1961

Brassai, *Gespräche mit Picasso.* Reinbek: Rowohlt 1966

Françoise Gilot und Carlton Lake, *Leben mit Picasso.* München: Kindler 1965

Pierre Daix und Georges Boudaille, *Picasso. Blaue und rosa Periode.* München: Bruckmann 1966

Hélène Parmelin, *Picasso sagt.* München: Desch 1966

John Berger, *Glanz und Elend des Malers Pablo Picasso.* Reinbek: Rowohlt 1973

Jean Leymarie und Jean-Luc Daval, *Picasso. Metamorphosen.* Genf: Skira 1971

William Rubin, *Picasso in the Collection of Modern Art.* New York: Museum of Modern Art 1972

Juan-Eduardo Cirlot, *Pablo Picasso. Das Jugendwerk eines Genies.* Köln: DuMont Schauberg 1972

André Malraux, *Das Haupt aus Obsidian.* Frankfurt a. M.: S. Fischer 1975

Rafael Alberti, *Le rayon ininterrompu.* Paris: Editions Cercle d'Art 1974

Pierre Cabanne, *Le siècle de Picasso.* Bd. 1.2, Paris: Denoel 1975

Pierre Daix, *La vie de peintre de Pablo Picasso.* Paris: Le Seuil 1977

Pierre Daix u. Joan Roselet, *Le cubisme de Picasso.* Catalogue raisonné de l'œuvre peint, 1907–1916. Neuchâtel: Ides et Calendes 1979

Hélène Parmelin, *Voyage en Picasso.* Paris: Robert Laffent 1980

A. Moravia, P. Lecaldano und Pierre Daix, *Tout l'œuvre peint de Picasso. Périodes bleue et rose.* Les Classiques de l'art. Paris: Flammarion 1980

Daniel-Henry Kahnweiler, *Marchand, éditeur, écrivain.* Ausst.-Kat., Paris, Musée National d'Art Moderne, Centre George Pompidou 1984

Marie-Laure Besnard-Bernadac, *Le Musée Picasso.* Editions de la Réunion des Musées Nationaux 1985

Ingo F. Walter, *Pablo Picasso, 1881–1973, das Genie des Jahrhunderts.* Köln: Taschen 1986

Pierre Daix, *Picasso créateur.* Paris: Editions du Seuil 1987

Judith Cousins und Edith Seckel, *Elements pour une chronologie de l'histoire des Demoiselles d'Avignon.* Paris: Editions de la Réunion des Musées Nationaux 1988

William Rubin, *Picasso and Braque, Pioneering Cubism.* Ausst.-Kat., New York, Museum of Modern Art 1989

Fotonachweis